겨울연가

겨울연가

지은이   블랙매서커즈

발 행   2024년 02월 08일
펴낸이   한건희
펴낸곳   주식회사 부크크
출판사등록   2014.07.15.(제2014-16호)
주 소   서울특별시 금천구 가산디지털1로 119 SK트윈타워 A동 305호
전 화   1670-8316
이메일   info@bookk.co.kr

ISBN   979-11-410-7112-7

겨울연가

블랙매서커즈

BOOKK

차례

독자에게 이 책을 바칩니다.

안녕하십니까, 블랙매서커즈입니다.

이 책을 구매해주셔서 감사하다는 말씀 이 자리를 빌려 말씀드립니다.

같은 겨울이 주제지만, 이 책 안에 수록되어 있는 글들은 각기 다른 개성을 뽐낼 것입니다.

누군가는 사랑, 누군가는 고독, 누군가는 영원불멸.

같은 사랑을 노래하더라도 음색과 창법이 다르듯이, 이 수록 글들 또한 그럴 것입니다.

당신에게 『겨울연가』가, 가끔 겨울에 귤을 먹으며 읽을 수 있는 마음의 쉼터가 되길 바랍니다. 예를 들자면 다이아몬드 같은 책이요. 그런 책이 되기를 긴히 빕니다.

황홀한 기쁨, 아름다운 유성, 다이아몬드.

INTRO: 윤현준

冬 : 겨울

따뜻한 코코아 한 잔, 그리고 포근한 담요 하나와 같은 사소한 따스함이 어울리는 어느 겨울날의 새벽. 코끝을 시리게 하는 공기는 밤이 될수록 짙어져만 갔다.

***

소중한 사람과 맞잡은 시린 손마저 따뜻함으로 느껴지는 이 계절이 왠지 좋다고 느껴져서, 길고 긴 1년이란 시간을 건너온 기다림을 마음속에 새겨보곤 한다. 여름이 되면 푸른빛으로 세상을 수놓던 생명들도 잠이 든 계절이지만, 시린 손으로 먹던 뜨거운 붕어빵, 밤이 되면 함박눈이 내려 하얀 꽃이 핀 도시의 곳곳을 수놓는 환한 조명 따위의 것들 덕에 이 겨울날이 마냥 차갑게만 느껴지지는 않는 것 같다.

누군가 이런 말을 했다. 형형색색으로 찬란하게 빛나던 세상도 잠시 쉴 틈이 필요하다고. 그래서 그 잠시라는 시간이 겨울이 되어 우리 곁에 존재하는 것이라고. 이 계절이 지나 다시 긴

기다림의 시간이 찾아오겠지만, 겨울은 깊은 마음속 어느 서랍에 보관되어 있다고.

**

봄에 피어나는 어여쁜 꽃도, 여름의 산을 장식하는 푸른 나무들도, 높고 파란 가을의 하늘도 없는 겨울이지만. 그 어떠한 것도 겨울의 온기를 대체할 순 없지 않을까.

백번이고 천 번이고 반복될 이 하얀 계절은 사계절 중 가장 추웠지만, 가장 시린 계절이기에 더욱 특별하고 아름다웠기에.
그리고 그 시린 아름다움은, 그 무엇보다도 찬란했기에.

*

*

*

I wish you have a warm winter.

크리스마스이브
김아힌

역시 애인도 없는 놈이 혼자 거리에 나서는 건 조금 무리였나. 나는 온갖 크리스마스 장식과 사람들로 북적이는 거리를 걸으며 생각했다. 물론 사람이 많은 것이나, 크리스마스 장식이 안 보이는 데가 없다는 점. 거리에 울려 퍼지는 캐럴. 이상하게도 느껴지는 사람들의 온기 같은 건 아무래도 좋았다.

그러나 그 '사람들' 중에 대다수가 커플이거나 가족이어서, 오히려 혼자 다니는 사람이 이상하게 여겨질 정도였다는 것이 내가 피곤함을 느끼는 점이었다. 내가 생각하기에도 한심하기 그지없는, 이 빌어먹을 내성적인 성격은 언제쯤 고칠 수 있을지. 지금은 크리스마스가 아닌 크리스마스이브. 잠깐 물건을 사러 나왔다가 일정을 바꾸어 친구를 만나러 가는 길이었다. 본능적으로 내일은 절대 집 밖에서 나오면 안 될 것 같은 느낌이 들어, 방금 친구에게 전화를 걸었다. 우리 집과 친구 집 사이의 거리는 30분도 채 되지 않아서 분명 준비할 시간이 부족할 텐데도 그는 괜찮다고 했다. … 그 정도로 내가 편해진 건가. 분명 좋은 일일 텐데도 어째서인지 새어 나오는 한숨이었다. 탁-. 갑자기 일정을 틀어서라도 이

거리에 남기 싫어했던 내가 그녀의 손을 붙잡은 것은 전혀 당황스러운 일이 아닐 수 없었다. 예상할 수 없는 일이기도 했고. 스치듯 지나간 그녀의 얼굴을 보고는 순간 감탄을 했던 것으로 보아서는 아마 본능이 일을 한 것 같았다.

아무리 그래도, 이건 너무. 내 손에 의해서 빙글빙글 돌아 나를 바라보게 된 그녀는 깜짝 놀란 표정을 짓고 있었다. 그 표정에 홀린 건지 뭔지. 나는 방금까지 나의 얼굴이 금방이라도 펑, 하고 터질 것처럼 타올랐다는 것을 깜빡 잊고서는 말했다. 잡았던 손을 놓는 것도 잊은 채였다.

"혹시, 전화번호 좀 주실 수 있을까요…?"

성공할 리가 없잖아, 번호 따기 같은 거. 나는 말을 내뱉고 나서야 정신을 차렸다. 현실을 깨달은 것은 금방이었으나 손에 들어간 힘은 풀릴 기미가 보이지 않았다. 사실은 그때까지만 해도 그쪽에 전혀 눈치를 못 채고 있던 터라, 손을 뗀 것은 아마도 조금 뒤였을 것이다.

아, 어떻게 이렇게 바보 같을 수가 있지, 정말. 헛웃음이 나올 뻔했지만, 고개를 숙이고선 어떻게든 참았다. 그러나 그녀가 내뱉은 말은 내가 예상했던 그런 말이 아니었다.

"휴대폰 좀 주시겠어요?"

그 말이 귓가에 맴돌았다. 그녀가 내게 다가와 직접 속삭여준 것처럼 그랬다. 물론 전혀 아니었으나, 고작 그 말 한마디에 나는 전혀 알 수 없었던 행복감에 휩싸였다. 숙였던 고개를 들고서 얼른 휴대전화를 건네었다. 북적이는 사람들 속에서

그녀는 태연히 제 전화번호를 입력

했다. 그녀는 예뻤다. 정말 미치도록 예뻤다. 어떻게 사람이 이렇게까지 생각할 수 있나 싶을 정도로, 그녀를 쳐다보면 그런 생각밖에 나질 않았다. 그녀는 미소를 지으며 내게 휴대폰을 다시 돌려주었다. 그 모습을 보자마자 조금이나마 진정

되어가던 얼굴이 다시 화르르 타올랐다. 곧이라도 눈이 내릴 듯한 겨울이어서이었는지, 차가워지다 못해 결국 빨개져 버린 건지. 그 얼굴에 매료되어서는 건네던 휴대전화도 보지 못한 채 도망치듯 자리를 떠나버릴 수도 있었을 것이다. 내가 정상적으로 휴대폰을 받고

"나중에 연락할게요." 라는 말과 함께 다시 친구의 집으로 발걸음을 옮긴 것은 온전히 그녀의 덕이었다.

"귀여우시네요."

그 한마디에 온 사고가 멈췄던 일이었다. 아니, 멈췄다기보다는 고장 난 듯한 느낌. 로봇이 된 것처럼 삐걱댔다. 연락하겠다고 말 할 때 미소를 지은 것 같기도 했는데, 에이 설마.

그런 어색한 걸 내가 했을 리가 없지. 나는 대충 그렇게 생각하고 넘겼다. 그러나 친구의 집에 돌아가 받은 그녀의 문자에

'아까 그 로봇 같은 얼굴은 뭐였느냐' 따위의 뉘앙스의 말이 들어있는 것을 보고서 나는 깜빡 욕설이 튀어나올 뻔했다.

***

"뜨거운 아메리카노 두 잔이요."

그로부터 몇 달인가를 연락을 주고받았다. 그날 친구의 집에서

는 그녀를 알아보느라 휴대폰만 들여다보고 있다 보니, 친구가 알아서 내쫓아주었다. 딱히 이유는 몰랐다. 처음 만난 사람에게 그만큼의 호감을 느끼게 되는 일 자체가 평소에 전혀 생각해 보지 않았던 것이었으므로, 왜 이렇게 연락을 하면서 심장이 뛰는지도, 웃음이 실실 삐져나오는지도 전혀 영문 모를 일이었다. 크리스마스이브 날의 나를 보았듯이 나는 그렇게 활발한 성격은 아니었다. 그러나 지금 있는 곳은 사람이 북적이는 카페. 그것도 인별에서 유행하는 그런 전형적인 감성 카페였다. 원래였다면 대충 집에서 믹스 커피나 타 먹고 말았을 내가 이러고 있는 이유는, 역시나 그녀 때문이었다. 벌써 석 달 전이지만, 흘러가듯 나눈 대화에서 그녀는 내게 '소심한 사람보다는 적극적으로 돌진 하는 사람이 역시 좀 더 끌리는 것 같아요'라는 말을 했었다. 그녀 본인은 기억 못하는 일이겠지만, 어쨌든 나는 그녀의 이상형에 조금이라도 더 맞출 필요가 있었으니까.

조금의 고민 상담과 여러 개의 영상이나 글들로 보아 나는 아마 그녀를 좋아하는 모양이었다. 이때까지 자각하지 못했던 것은 아마 경험이 없어서가 아닐까. 그나저나 약속 시간이 다 되어 가는데 왜 오질 않는 건지. 휴대전화 잠금화면의 시계를 무심히 보고선 카페의 입구 쪽으로 눈동자를 굴렸다.

오는 길에 무슨 일이라도 생긴 건가? 아직 약속 시간은 지나지 않았으나, 항상 약속 시간보다 10분 이상 일찍 자리에 도착했던 그녀였기에 마음이 조이는 것은 어쩔 수 없는 일이었다.

딸랑-. 문이 열리며 종이 울리자 반사적으로 고개를 돌렸다. 아, 그녀였다. 마음이 놓이는 동시에 저절로 미소가 지어졌다. 그녀는 또각거리는 하이힐 소리를 내며 내 웃음에 대답하듯 똑같이 미소를 지어 보이고는, 어느새 내 앞에 앉아 있었다.

"하이힐 신었네요."

"오늘은 왠지 평소보다 예뻐 보이고 싶어서요."

"그래도 발 아프니까 신지 않는 게 좋다고 했잖아요. 안 아파요?"

"전혀 안 아프고, 이번에는 그런 일 없을 테니까 걱정 말아요."

언제 나왔는지 모를 아메리카노를 여유롭게 마시며 그녀는 말했다. 김이 폴폴 피어오르는 커피잔을 손가락으로 만지작거리며 차가워진 손을 데우고 있는 것도 같았다.

뭐, 어쩌다 보니 내가 그녀에게 잔소리 하는 구도가 되어버렸으나 오늘 데이트의 원래 목적은 이게 아니었다. 나는 조금 목소리를 가다듬으며 '이번만 넘어가 주겠다.' 따위의 마음 넓은 듯한 말을 하고선 화제를 바꾸었다.

"저, 사실 오늘 할 말이 있는데요."

"어, 저도 있는데."

이런. 나는 표정이 굳어지려던 것을 간신히 참았다. 어째서 오늘인 걸까. 왜 하필 오늘인 거지? 이렇게 되면 내가 먼저 말해도 나중에 말해도 분위기가 이상해질 것이 분명했으므로 절대적으로 이번 고백은 망했다. 그렇게 생각했다.

"우리 목적이 같은 것 같으니까, 제가 먼저 말할게요."

어? 최대한 미소를 유지하려고 했으나 나는 눈이 동그래지는 것을 막지 못하고 입마저 살짝 벌려버렸다. 안 돼, 이래서는 바보 같아 보일 텐데. 얼른 표정을 수습하려고 했지만, 그녀가

내 표정을 보고는 살짝 웃으며 말하는 바람에, 나는 도리어 귀까지 전부 새빨갛게 물들였다.

"사귈래요, 우리?"

얼굴이 화끈거렸다. 분명 내가 하려던 말인데, 왜 이렇게 얼굴이 달아오르는 건지. 내가 하는 거나, 그녀가 하는 거나… 분명 같을 거라 생각했는데, 아니었던 건가. 좋아하는 사람에게 고백을 받는다는 게… 이렇게나 좋은 일이었나?

아, 나는 어째서 이렇게 한결같이 바보 같은 걸까? 그런 생각을 하며 나는 뜨거워진 얼굴을 두 손으로 감싸고는 중얼거렸다.

"좋아요…"

* * *

띠리리리리리리-. 들리는 거라곤 돌아가는 시계 속 초침 소리뿐인 내 방 안에서, 나는 시끄러운 알람 소리에 눈을 떴다. 간신히 뜬 눈에도 계속해서 제자리로 돌아가려 하는 눈꺼풀 때문인지, 눈을 다시 감고는 탁자 위를 더듬어 휴대전화를 찾았다. 알림과 함께 시계에 떠 있는 숫자는 7:40. 나는 즉시 미간을 찌푸리며 알람을 꺼버리고는 휴대전화를 껐으나, 휴대전화를 놓은 그 순간 알람이 한 번 더 울리는 바람에 그러지 못했다.

- 깼어요?

그녀의 문자였다. 그제야 생각이 난 일인데, 일어나자마자 그녀

의 문자를 받겠다며 그녀가 일어나는 시간에 알람을 맞춰놓았었다. 사귄 지 세 달이 훌쩍 지났으나 이런 일을 인제야 하는 것은, 나와 그녀의 기상 시간이 두 시간 이상 차이 나는 것 때문이었다.

"그러면 제가 당신을 깨우는 것 같아서, 괜히 미안하니까….”

라며 그녀는 그동안 내게 문자를 보내는 것에 대해 말하지 않았던 이유를 설명했다. 역시 귀여웠다.

– 아침부터 문자 해주니까 새삼 설레네요.

– 설레요?

– 네.

– 그러면 자주 해드릴게요.

얼굴에 미소가 번졌다. 좀 귀엽기도 하고, 행복하달까. 그냥 지루하지 않은 느낌. 뭘 해도 항상 곁에 그녀가 있으니까.

가끔은 이게 정말 현실이 맞을까, 싶기도 하지만, 그녀가 내게 웃어주는 모습에 금방 그런 생각은 저 멀리 사라져버리는 게 일상이었다. 아직도 약간은 껌뻑이는 눈을 뒤로 하고, 침대에서 빠져나왔다. 부엌으로 향하는 발걸음이 가벼웠다. 지금 당장 날아가도 이상하지 않을 정도였다. 음. 아침부터 그녀에게 잘 잤냐는 말을 들으며 아침을 맞이하는 것이 더할 나위 없이 좋았던 거겠지. 나는 지금이 아침 8시도 되지 않았다는 것을 깜빡 잊고서는, 정말 여유롭고 행복한 주말 아침이라고 생각할 뻔했다.

냉장고에서 생수를 꺼내 몇 모금 들이켰다. 이내 가슴이 차가워지는 듯한 느낌에 몸을 부르르 떨었다.

5월 중순이면 조금 따뜻해질 때도 됐는데, 어째서 아직 추운 건지. 한 달 전의 온도와 비슷한 것 같기도 하고. 추위를 잘 타는 체질이라 그런 걸지도 모르겠다. 나는 다시 방으로 들어와 침대에 풀썩 앉았다. 걸터앉은 것뿐이었으나 저런 소리가 난 것은 침대가 푹신한 재질이었기 때문일 것이다. 아까 놔둔 휴대전화를 들어 자는 새에 온 알림들을 확인했다.

오늘 일정은 휑하게 비어있음에도 나갈 준비를 한 것은 내일이 그녀와 100일이 되는 날이기 때문이었다. 아직 선물을 사지 않았다. 원래라면 이미 사 놨어야 하는데, 매번 사러 가야지, 하면서도 잊어버리는 탓에 오늘까지 미뤄졌다.

씻는 게 조금 귀찮아져서 휴대전화를 가지고 잠깐 누워 있었더니 2시간이 훌쩍 지나 있길래 정신 차리고 침대에서 일어났다.

머리까지 다 감은 판에 '점심은 먹고 갈까', 하는 들었지만, 어찌 되었든 귀찮았으므로 그냥 상관하지 않기로 했다.

오전 11시니까, 지금 나가면 웬만한 데는 다 문 열려 있겠지. 나는 옷장 문을 활짝 열었다. 아무래도 예정에 없던 외출이었으니 약간의 불이익은 감수하겠다는 생각이었다. 옷걸이에 걸려 있는 옷들을 꺼내 마구 생각해보다가, 문득 옷장 구석에 걸어놓은 무채색의 옷들이 눈에 띄었다.

분명 예쁘지도 눈에 띄지도 잘 입었다고 평가받지도 않을 옷인데, 어딘가 끌리는 감이 있었다. 옷을 갖춰 입고 전신 거울 앞에 섰다. 갖춰 입었다기보다는 대충 걸친 듯한 느낌이었으나, 아무튼 그랬다. 그 옷만으로는 뭔가 부족한 듯한 차림이었으므

로, 나는 내심 고만하다 모자를

머리에 푹 눌러 썼다. 음, 완벽하게 소심했던 나였다. 그러니까, 완벽하게 그때로 돌아간 듯한 느낌이 들었다.

아마도 그런 생각을 했을 것이다. 이게 맞나?

갑자기 온몸이 무기력해져서는 옷을 다 벗어 던지고서 잠옷으로 갈아입은 채 소파에 그대로 드러누웠다. 엎드려 눕는 바람에 숨이 막혀 곧 똑바로 돌아누웠다. 두 손을 가슴에 얹고는 눈을 크게 뜬 채 생각에 생각을 거듭했다. 솔직히 말하자면, 이런 식으로 생각했던 것이 오늘이 처음은 아니었다.

그저, 밀려드는 그녀의 배려와 손길과 말투와 행복에 전혀 그런 생각에 잠겨 있을 틈이 없었을 뿐이지. 그래서 결론적으로, 그녀를 만나기 전과 그녀를 만난 후.

나는 어떤 사람인가?

* * *

띠리리리리리리-. 다음날이다. 여전히 알람은 울렸고 나는 깨어났다. 비몽사몽 한 상태로 한 손으론 눈을 비비며 다른 손으로는 휴대전화를 집어 올렸다. 오늘도 칼같이 문자가 와 있었다.

- 잘 잤어요?

아무 생각 없이

"당신 꿈을 꿔서 무척이나 잘 잤어요." 라는 말을 입력하고서는 전송 버튼을 누르려다 잠시 멈칫했다. 나는 지우기 버튼을 꾹 눌렀다. 글자가 하나씩 사라졌다.

그리고 다시 키보드를 두드려 입력했다.

아, 음, 이게 아닌데. 다시 지우기 버튼을 눌렀다.

그리고 또 키보드를 두드렸다. 이것도, 아닌데…. 다시 지우기, 입력, 지우기, 입력. 그런 것들이 반복되고 나서 최종적으로 얻은 답안은 단순했다.

- 네

내가 무슨 말을 해야 나인 건지 몰랐다. 그 두 개가 전부 나일 수도, 그중 하나가 나일 수도, 둘 다 내가 아닐 수도 있었다. 정답이 첫 번째이길 염원하면서, 나머지 둘일 가능성에 대해서

나는 머릿속을 이리저리 헤집었다. 둘 중 하나만 나일 가능성과 둘 다 내가 아닐 가능성을 전부 부정할 수 있는 것을 찾아서.

- 오늘 100일인 거 알아요?

이번에도 똑같은 일. 쓰고 지우고를 몇 번이나 반복했는지 모르겠다. 선물은 사러 나가지 않았고 급하게 마련한다 해도 고작해야 꽃다발 정도일 것이다. 즉, 약속을 오후 1시에 잡는다고

해도 나는 아무것도 해줄 수 없다는 것이다. 순식간에 자기혐오가 훅, 하고 밀려들었다. 고작 그런 감상에 젖어 있으려고 선물을 사지 않은 거야? 정말이지, 한심해라. 내가 누구인지 같은

것에 대해 생각하는 건 전혀 그녀보다 중요한 일이 아니잖아?

그렇게 생각하면서도 몸은 전혀 움직이지 않은 것이 현실이었다. 아직도 '무슨 말을 해야 둘 다 나인 것처럼 보일 수 있을까?' 따위의 생각을 하고 것도. 결국 나는 당장 눈앞의 그녀보다 고작 나의 양면을 드러내는 것에 대해 더 깊이 마음에 두고 있는 것이었다.

이래서야, 내가 그녀에게 이때껏 진심이었다고 말할 수 있나?

- 알죠.

나는 텅 빈 눈을 하고선 그런 생각을 하며 결국엔 아까와 같이 단순하게 문자를 보냈다. 어쩐지, 고작 그거 하나 때문에 그녀를 향한 마음마저 의심하게 되는 일이었다.

- 오늘 오후 1시 30분쯤에, 동네 카페에서 만날 수 있어요?

- 될 것 같아요.

- 그럼 그때 봐요.

- 네.

대화가 끝난 후에도 그녀의 채팅방을 떠나지 못했다. 깜빡이는 커서를 뚫어지게 바라보며 가만히 있을 뿐이었다.

결국엔 휴대전화를 알아서 화면을 종료할 만큼이나, 나는 아무것도 하지 않고 그녀와의 대화 기록을 바라보며 생각했다.

결국, 이렇게 성급하게 결정해야 하나?

* * *

"아이스 아메리카노 두 잔이요."

그녀는 역시나 10분 일찍 카페에 도착한 것 같았다. 정각에 맞춰 왔는데도 이미 앉아서 핸드폰을 보고 있었으니 말이다.

아무튼 나는 즉시 자리로 가서는 '역시 빨리 왔네요.'라고 말하려다 이내 입을 다물고서는 웃으며 많이 기다렸냐는 흔하디흔한 말만 내뱉었다. 그게 가장 평범했을 것이다. 아마도?

"아직 추운데, 벌써 아이스예요?"

"어제보단 따뜻하더라고요."

"전 어제랑 비슷한 것 같은데. 추위를 덜 타나 봐요?"

"아뇨, 엄청 타요."

추리에 실패한 그녀는 낭패라는 표정을 지었다. 역시 귀엽긴 했다. 물론 그녀는 흔히 말하는 고양이상의 얼굴이었다.

뭐, 꼭 얼굴과 행동이 비례한다는 건 아니지만.

"아까도 말했지만, 우리 100일이잖아요?"

"그렇죠."

"선물이라든지, 준비한 거 없어요?"

"아, 음, 어… 아쉽게도 없어요."

"없다고요?"

"네, 죄송해요. 어젠 시간이 없어서."

"죄송할 건 아니지만…."

"50일 선물도 챙겨놓고 100일 선물을 안 챙긴 건 조금 그렇네요, 그렇죠?"

그녀는 눈치채지 못한 건지 평소처럼 내게 계속해서 말을 걸었다. 물론 선물을 준비하지 못했다고 했을 때, 조금 실망하긴 했다. 언제나 눈치가 없고는 했으니까 그리 신기한 일은 아니었으나, 조금 서운했다. 어디 아프냐고 물어봐 주기라도 하면 안 되는 거였을까, 하고. 뭐, 대답도 시원찮게 하는 주제에, 답지 않게 이기적인 생각이었으니 그다지 오래가지는 않았다.

"아니에요, 그래도 제가 선물을 준비했으니까 괜찮아요!"

"선물요?"

나는 주춤했다. 선물이라니, 왜? 그녀는 선물을 준비할 필요가 없었다. 그저 내가 준비한 선물을 받고 좋아해 주기만 하면 됐다. 난 그걸로도 충분히 행복했단 말이다. 그래서, 아침에 그녀가 선물을 사 오는 것에 대한 건 생각해보지 않았던 건데….

어떻게, 이럴 수가 있지.

"당신, 우리 데이트할 때마다 시계매장만 뚫어지게 보곤 했던 거 알아요?"

"제가, 그랬나요…?"

"그랬어요. 그래서 제가 이렇게 딱! 시계를 사 왔죠."

그렇게 말하며 그녀는 내게 직사각형의 상자를 들이밀었다. 당황해서는 제대로 말도 하지 못하고 상자를 열어보기 머뭇거리는 내게 그녀는 어서 열어보라며 나를 재촉했다. 그리하여 어정쩡하게 뚜껑을 들어 올린 상자 안에는, 고급 시계가 들어있었다.

"이걸, 어떻게…."

"어떻게는 뭘 어떻게 예요, 당연히 돈 모아서 샀죠. 제 두 달 치 월급을 투자한 시계니까, 소중하게 차고 다녀야 해요?"

그래, 월급의 2배. 아무리 최저가라도 그녀의 월급으로는 부족한 시계였다. 그녀 자신이 사고

싶은 물건을 그 돈으로 몇 개는 살 수 있을 텐데, 어째서. 답은 여전히 단순했다. 그녀는 나를 사랑했다. 그래서였다.

저런 선물을 준비해놓고, 내 선물을 은근히 기대했으면서, 금방 괜찮다며 지워버리는 것은 전혀 달갑지 않은 반응이었다.

아, 갑자기 비참해졌다.

"… 저희 잠깐, 시간을 갖는 게 좋을 것 같아요."

역시, 그녀는 이런 시큰둥한 대답을 받기엔 눈부시게 좋은 사람이었다.

* * *

"작년이랑 똑같네."

크리스마스이브다. 여전히 거리의 상점들에는 크리스마스 장식이 잔뜩 달려 있고 사람들은 1년 전과 다를 바 없는 그 크리스마스이브를 즐기고 있다. 그리하여 거리는 사람으로 가득

차 있었다. 나 또한 1년 전과 다를 것 없이, 그녀를 만났다.

탁-. 다른 게 전혀 없었다. 불행하게도 주말이 되어 버린 크리스마스이브에 친구의 집에 놀러 간다거나, 길거리에서 그녀를 발견한 거나, 소리 나게 그녀의 손목을 잡은 거나.

모두 본능적인 행동이었다는 것이다.

조금 슬펐던 것은, 그 와중에도 다른 건 분명히 있었고 그게 그녀와 나의 관계였다는 것이다. '관계'라기보다는 '생각'이나 '마음'이 아무래도 맞는 말이겠지만, 어쨌든 정의하자면 그렇다.

내 손에 의해서 돌아서는 그녀의 얼굴을 보자마자 괜히 눈물이 나올 것 같았다. 울면 안 된다. 그 정도로 모양 빠지는 남자는 아니었잖아. 그러니까 울면 안 돼. 구질구질하게 울면서 떠

난 애인을 붙잡는 남자가 되는 건 안 돼.

애초에 '그녀는 나와 있기엔 너무 좋은 사람이니 시간을 갖자'고 한 주제에, 그녀를 붙잡는 것 자체가 엄청나게 분수에도 맞지 않고 구질구질한 짓이었다.

그러나 그것을 깨달은 것은 이미 말을 내뱉고 나서였다.

그래, 나는 여전히 바보 같았고, 그녀는 여전히 예뻤다. 그녀는 미치도록 예뻤고, 바보 같은 나는 그녀를 붙잡았다.

"보고, 싶었어요."

목소리가 떨릴 뻔했다. 떨릴 뻔했던 것이니까 절대 떨리지 않았다. 사실 떨렸다 해도 큰 상관은 없었겠지만 말이다. 어차피 나는 지금 그녀에게 돌아와 달라 청하는 처지고, 그건 이미 구질구질하니까 거기서 조금 더 찌질해져도 크게 달라지는 건 없었을 것이다. 아무래도 그랬겠지.

"어, 당신이네요?"

너는 우리가 무엇이었는지도 잊었나, 싶은 생각이 들 만큼 나를 반갑게 알아보았다. 그게 어느 정도였냐면, 눈을 마주치고는 웃기까지 해서 잠시나마 같잖은 희망을 품을 정도였다.

그녀는 여전히 좋은 사람이었다. 그 결과가 어쨌든 그녀는 좋은 사람이었다. 그렇게 단언할 수 있었다.

"네, 보고 싶었어요…."

목소리가 떨렸다. 곧이라도 울 것만 같은 목소리였다. 고작 보고 싶었단 얘기를 하면서 목소리가 떨려도 되는지는 모르겠으나 아무튼 그랬다. 그렇게 말하며 고개를 푹 숙이는 나를 뚫어지게 바라보며 그녀는 물었다. 그녀가 웃고 있었는지 웃지 않았는지는 몰랐다. 그저, 얼굴을 들었을 때는 희미한 미소만 남아있었을 뿐이었다.

"내가 돌아가 줬으면 좋겠어요?"

네. 그렇게 단호하게 말했지만 물론 안 될 것이다. 아마도 안 되겠지. 절대로 성공치 못할 것이다.

99%의 가능성으로 안 된다. 그러나 나머지 1%를 위해서, 나는 그녀를 붙잡았다. 사실은 그걸 위해서라기보단 아까 말했듯이 본능적으로 손이 움직였다. 본능적으로 그녀를 알아봤다. 본능적으로 그녀를 갈구했다. 그만큼 나는 간절했다.

"미안하지만요, 당신. 그거 알고 있어요?"

아, 역시 안 되는구나. 역시, 그렇지. 알고 있었음에도 괜히 실망했다. 어쩔 수 없겠지만, 생각했던 거랑 직접 듣는 거랑은 다른 거겠지. 항상 생각하고 있던 거라서, 그래도 조금은 괜찮을 줄 알았는데.

"… 뭔데요?"

나는 이내 나를 향해 웃는 그녀의 얼굴을 바라보며 무엇이냐 물었다. 재결합 고백도 거절당한 마당에 알려줄 게 뭘까, 하고, 내심 궁금한 일이었다. 그게 그런 말이었을 줄은, 상상도 못 한 채로 그랬다.

"나는요, 당신이 어떤 모습이든 상관없었어요."

네? 나는 그 즉시 얼어서는 눈만 깜빡였다. 내가 어떤 모습이든 상관없었다니, 그게 무슨 말인 거죠. 나는 그렇게 말하고 싶었다. 그러나 그 뜻을 파악하는 데는 얼마 걸리지 않았기에, 나는 아무 말도 하지 못했다.

"당신이 내게 어떤 모습이 되고 싶었든 간에, 나는… 전부 받아들일 준비가 되어 있었어요."

내가 동공이 마구 흔들리는 채 아무 말도 못 하고는 손만 꽉 잡은 채 서 있자 그녀는 맞잡은 손을 살짝 쳐다보며 입꼬리를 끌어올렸다. 난생처음 보는 그런 웃음이었다. 그녀는 단 한 번도, 내 앞에서 저런 표정을 지은 적이 없었다.

그녀는 고개를 똑바로 들고서는, 내 눈을 똑바로 바라보며, 눈이 접히도록 웃었다.

"잘 지내요, 찬혁 씨."

손에서 빠져나가는 온기가 그녀가 떠남을 알려주었다. 물론 눈으로도 그녀의 뒷모습을 볼 수

있었다. 곧 손이 힘없이 자리로 되돌아왔다. 장갑도 끼고 있지 않은 탓에 겨울바람이 금세

손을 얼렸다. 분명히 그녀를 붙잡는 것은 멍청한 짓이었다. 가능성도 없는 짓이었고, 완전히 분수에 맞지 않는 짓이었다. 제 분수에 맞지 않게 눈부신 사람이라며 시간을 두자고 할 땐 언제고, 인제 와서 붙잡는 것은, 엄청나게 바보 같은 짓이었다.

뚝-, 뚜욱-. 눈앞이 흐려졌다. 안개가 낀 듯 뿌옜다.

아쉽게도 나는 완전히 울고 있었다. 눈물이 아니었다면 코가 빨개진 것은 추운 것 때문일 뿐이라고 충분히 변명할 수 있었을 텐데 말이다. 여전히 내 옆으로는 사람들이 지나가고 있었고 상점에는 크리스마스 장식이 걸려 있었다. 아, 역시 나는 그녀를 만나는 게 아니었나.

고작 이런 얼음한테, 지나치게 따뜻하잖아.

겨울 바다
민지원

다 해져버린 목도리 하나를 질끈 두른 나는 캐리어 손잡이만 하염없이 내려다보았다. 십 년이 넘는 세월이 무색하게 보육원의 큼지막한 대문은 다신 들어올 생각도 하지 말라는 것처럼 으름장을 놓듯 높다랗게 잠겨져 있다. 페인트칠이 다 벗겨진 노란 철문을 조심스럽게 잡아끌어 봐도 잠긴 자물쇠가 덜컹거리는 소리만이 불편하게 귓속을 그어댔다. 이젠 이 보육원을 보는 것도 마지막이겠구나. 볼품없이 낡아버린 보육원을 뒤로한 채 수많은 생각이 머릿속을 스치듯 흘러갔다.

그래도 어린 시절엔 할머니와 둘이 즐겁게 살고 있었던 것 같은데. 어느새 철이 들고 정신을 차려보니 들어오게 된 보육원이란 곳은 어렸던 내겐 참 크고 무서운 곳이었다.

얼굴 한 번 본적도 없던 먼 친척들의 손에 이끌려 할머니의 빈소에서 고작 자리를 지키는 게 전부이던 나였건만.

그런 내가 아뜩한 할머니의 영정사진 앞에서 정말 혼자가 되었을 때, 부모도 없는 내게 마지막 종착지는 보육원뿐이었다.

비탈길을 오르고 올라서야 내보이던 그 커다란 건물. 그렇게 이곳에서는 10년이란 세월이 흘러만 갔다. 보육원에서 가장 어렸던 내가 맏언니가 되기까지 걸린 시간은 고작 10년이었다.

그리고 이젠 나가야 할 시간이 왔다. 들어오고 싶지 않았지만 유일하게 남았던 나의 집이자, 떠나고 싶지 않지만 떠나야 할 나의 집. 민서, 종윤이, 서후, 아랑이, 지나… 함께 밥을 먹던 동생들을 떠올리다가 함께 복도에서 장난치던 때도 생각했다. 그래봤자 이제 보육원에서 한 발짝 더 떨어졌을 뿐인데 내가 이 세상을 홀로 살아갈 수 있을까? 미칠 듯이 아릿한 심장을 움켜쥐고 찬 겨울바람에 맞서 고개를 다시 돌렸다. 녹슨 보육원 대문을 바라보고, 비 오는 날이면 매일 삐그덕 거리는 지붕을 바라보다가 건물 바로 앞에서 우르르 모인 작은 꼬마들의 모습을 눈치채곤 몸을 멈췄다. 동생들, 동생들이다. 동생들의 하얀 입김이 모락모락 피어나는 입가와 벌건 손끝. 지금 당장이라도 보육원의 높은 대문을 넘어 내 닳은 목도리라도 둘러주고픈 심정을 억눌렀다. 그러자 곧 동생들이 작은 손아귀를 조몰락거리다가 이내 입 주변에 가져다 대곤 소리치기 시작했다.

"언니! 보고 싶을 거야! 꼭 또 놀러 와야 해?"

그 말을 하려고 몰려온 거였구나. 작고 여린 아이들이 모두 함께 이구동성으로 외치는 모습에, 나는 찬 겨울바람에 눈이 시린가 보다. 얼음장 같은 공기가 눈가를 자꾸 맴돌았다. 붉게 달아오른 눈가를 여러 차례 비비다가 일부러 입꼬리를 한가득 세우고 크게 소리쳤다.

"춥다, 추워! 너희 계속 그러고 있으면 감기 걸려! 얼른 들어가!"

그제야 배시시 웃음 지으며 건물 안으로 우당탕 들어가는 아이들의 뒷모습을 한참 눈에 담았다. 나도, 나도 한때는 저렇게 큰 언니들을 배웅하던 때가 있었는데. 그 시절 언니들 마음이 이럴 거라곤 생각지도 못했다. 내게도 복잡하고, 걱정스럽고, 또 모든 과거가 그리워지는 순간이 찾아와 버렸다. 그리고 그것은 내 차례 전에도 수많은 언니들이 이를 느끼고 겪어봤었던 일이

또 한 번 찾아왔다는 것이겠지. 몇 명은 제 양부모를 선택하여 즐겁게 이 앞에 섰지만, 누군가는 나와 같은 나이의 이곳에 섰다. 어렸던 나는 해맑게, 아까 그 아이들처럼 순수하게 인사를 건넸었다. 언제나 그랬듯이. '언니, 보고 싶을 거야! 또 봐!' 그 말을 매번 힘껏 소리치면서도 나는 그들이 갑갑한 보육원을 벗어나 자유로운 삶을 살아가게 되는 것이라고 믿었는데. 정말 이렇게 헤어지게 된다는 것은 가혹하고도 매서운 일이 됨을 이제야 깨달았다. 다시 보육원을 등지고 돌아섰다. 맨 살결이 감각도 없이 떨려왔다. 찬 바람에 벌건 손끝이 무참히 서려왔다. 눈으로 잔뜩 파묻힌 운동화가 얼어붙은 건지 떨어지지도 않았다.

그러나 이젠 지체할 시간도 없이, 정말 떠나야 할 시간이었다. 잔돈을 지니고 버스 정류장 앞에 섰다. 일단 어디든 가야 할 것만 같았다. 수중에는 고작 3만 원도 안 되는 돈들이 동전들과 함께 주머니에 구겨져 있었다. 마을버스는 금방이라도 꺼질

것처럼 털털 흔들리는 엔진 소음이 커짐과 함께 느릿하게 굴러왔다. 다 해진 의자 시트에 앉아 바깥 창문으로 턱을 기울였다. 흔들리는 차창 밖으로 빠르게 흘러가는 비탈길 너머 보육원이 눈에 들어왔다. 내가 처음 저곳에 발을 들였을 때만 해도 막 페

인트를 칠한 것처럼 샛노란 건물이었는데 십 년이라는 세월 지
난 지금은 다 벗겨져 버린 먼지 쌓인 누런 빛만 맴도는 낡은 건
물. 내가 다시 이곳을 눈에 담을 일도 없을 것이란 마음에 점
점 사라지는 보육원을 끝까지 눈으로 좇았다.

"... 벌써부터 그리우면 어쩌자는 거야."

이미 산 뒤로 넘어가 보이지 않는 건물에 떨리는 입김을 후 내
뱉으며 목소리를 떨었다. 딱딱한 의자 시트에 몸이 배겨왔다.
더는 보육원 생각 같은 건 하지 말자고 스스로 되뇌며 차가운
창문에 뺨을 맞대고 한참 밖을 노려보았다. 아직 어디로 가야
할지 뭘 해야 할지, 아니 내가 할 수 있는 건 있는지에 대해서
열심히 생각해 봤지만, 고작 20살도 안 된, 생일 지난 19살일
뿐인 내가 전문적으로 할만한 일 같은 건 떠오르지도 않았다.
이럴 줄 알았으면 주방 이모한테 요리라도 열심히 배울 걸 그랬
나 보다. 매번 음식을 다 태워 먹던 내게 머리를 쥐어박으며 한
숨 쉬던 이모였지만 좋은 사람이었는데. 요리를 좀 더 가르쳐
달라고 졸라볼 것을, 진작에 풀이 죽어 주방 근처엔 얼씬도 하
지 않던 과거의 자신이 한심했다. 아, 또 보육원 생각.

"어휴, 이 멍청이."

다시 창문에 머리를 콩콩 찧으며 벌건 이마가 비치는 차창 너머
를 흘겨보았다. 하얀 눈송이 하나가 바로 눈앞에서 떨어져 내렸
다. 창틀에 다소곳이 내려앉는 눈송이 하나가 보여왔다.

"진짜 벌써 겨울은 겨울이구나."

오늘따라 할머니가 절실하게 떠올랐다. 힘들 때마다, 눈물이 사

무칠 것 같을 때마다 떠오르던 할머니였기에. 몇 년이나 지난 기억인 탓에 이제는 흐릿한 할머니의 얼굴이지만 냄새나 온

기 따위는 선명하게 기억났다. 오래된 신문지 냄새가 풍겨오던 할머니의 향은 따뜻하고도 익숙한 온기로 가득 차 있었다. 이 정도면 이별이라는 게 익숙할 법도 하지만 여전히 홀로 낯선 자리에 남겨져 떠나버리는 상황은 힘겹기만 했다.

내가 태어나자마자 돌아가신 얼굴도 모르는 엄마. 그 후에 나를 열심히 키워주신 건 할머니셨다. 아빠라는 사람은 홀로 나를 감당하지 못하고 도망쳐 버렸으니까. 자신의 엄마, 할머니에게 나를 맡긴 채 몇 년이 지나도 보지 못했다. 그래도 기억도 못 할 만큼 어렸을 적 기억이라 아무런 감흥도 없다. 결국 나를 학교에 입학할 나이가 되도록 키워주신 것은 할머니 혼자였으니까. 그렇지만 행복했던 순간이었다. 할머니는 나를 진심으로 사랑

해 주셨고 최대한의 애정을 쏟아주셨으니. 내 인생에서 '진짜' 가족과 함께였던 순간. 혼자가 아니었던 순간이었다. 보육원 선생님들과 동생들 사이에서도 진실로 느껴보지 못한 따뜻함은 할머니와의 어릴 적

추억 속에만 숨겨둘 수밖에 없었다. 그들은 내가 이런 생각을 하고 있다는 걸 알면 미안해하고 속상해하실 게 분명했으니까. 그러나 이것은 그들이 노력한다고 해서 채워지는 게 아니었다. 하염없이 생각에 잠겨만 있어도 버스는 계속 굴러갔다. 덜컹거리는 차체에 엉덩이가 시렸지만 뭐, 나쁘지 않은 혼자만의 시간이었다. 잠시 멍하니 눈동자만 굴렸다.

보육원 자체가 마을 중에서도 좀 깊은 곳에 있던 편이라 버스를 타고도 한참을 나가야 했다. 금세 지루함이 몰려오려하기 시작했다. 귀가 살짝 먹먹해지도록 공기를 삼키다가 커다란 하품과 함께 푹 내쉬었다. 졸린 눈가가 끔벅거렸다.

"아야!"

졸음을 참지 못하고 고개를 자꾸만 떨어트리다가 결국 창가에 쿵 하고 머리를 박았다. 역시 낡디 낡은 시골 버스라서 그런지 덜컹거리는 것이 보통이 아니다 싶긴 했지만, 정말 부딪히고

나니 눈물이 쏙 빠질 정도로 머리 한구석이 얼얼해져 왔다. 겨우 눈가를 비비적거리다가 머리를 박았던 창가를 향해 부루퉁하게 노려봤다. 버스는 여전히 크게 덜컹거리고 있었다. 버스 창가에 가까이 이마를 가져다 댔다. 창문에 붙은 눈서리가 차갑게 닿아왔다. 창문 너머로 흐린 파란 도화지 같은 것이 자꾸만 움직이고 있었다. 저게 뭐지, 싶어서 그 창문에 더 가깝게 뺨을 접어 눌렀다. 바다였다. 바다. 이게 몇 년 만에 보는 바다인지. 산 위의 좁은 도로를 굴러가는 버스여서, 산 아래의 풍경이 넓게 펼쳐진 것이 훨씬 잘 보였다. 덕분에 바다도 이렇게 잘 내려다 볼 수 있는 것이었다. 눈에 들어오는 바다는 작고, 또 작은 형태였지만 이미 충분한 형태이기도 했다. 바다 지평선 너머의 태양은 노을의 붉은 석양으로 내려앉고, 위

로는 갈매기들이 낮게 날아다녔다. 그런 바다에서 작은 낚싯배가 항구로 돌아오는 모습을 한

참 창문 너머로 지켜보다가, 나는 결심했다. 나의 첫 발걸음을

어디서 시작해야 할지.

"기사님! 이 버스가 가는 곳 중에서 저 바다랑 제일 가까운 정류장이 어디예요?"

"어어, 저짝에 쪼매난 정류장 하나 있는디, 거기다가 내려주면 뎌?"

버스 앞좌석으로 가까이 다가가 버스 기사님과 룸미러로 눈을 맞추곤 크게 고개를 끄덕였다. 기사님이 씩 한쪽 입가를 잡아 올리시다가 이내 '쪼매 기다리면 곧 도착이니께 앉아있으소!' 하며 외쳤다. 내가 더듬더듬 다시 자리를 잡아 등을 붙일 즈음, 느릿느릿하던 버스가 시끄러운 엔진 소음이 터질 것처럼 털털거리는 소리와 함께 아까 전보다 더욱 속력을 내서 달리기 시작했다. 주변 나무를 휙휙 제치는 버스의 움직임이 예사롭지 않았다. 입을 벌려 연신 환호하며 기사님의 뒷모습을 바라봤다. 집중하며 핸들을 돌리시는 모습에 그저 고개를 끄덕거리며 대단하다는 듯한 감탄사를 연발할 수밖에 없었다.

바다, 바다다. 버스 기사님이 내려주신 정류장은 정말 바닷가 코앞에 있었다. 버스에서 내리자마자 코를 찌르는 짭짤하고 시큼한 바닷가 냄새에 저절로 미소가 지어졌다. 그렇지만 이미 시간이 많이 흐른 탓에 바다 지평선을 사이로 옅은 노을이 일렁이는 것을 제외하곤 컴컴한 밤이 되어 있었다. 그런 바닷가의 모래사장으로 발을 내디뎠다. 푸른 빛이 섞인 어둠은 무섭다기보단 아름다웠다. 점점 반짝이는 별들이 하늘에 생겨나기 시작했다. 반짝, 반짝반짝. 다시 바다를 바라봤다. 어둠 속에서도 바람에 따라 하얀 거품이 밀려오다가 다시 출렁이며 사라지는 그 모습이 재미있어서 파도에 발을 살짝 집어넣었다. 겨울 바다의 시린 파도가 발가락 사이사이를 드나들었다. 이미 한쪽으로 벗어 던졌던 신발도 진흙으로 변한 모래가 엉겨 붙어 더러워져 있었지만, 괜히 신경 쓰지 말자고 여기며 다시 밀려오는 파도로 한 번 더 발을 내밀었다. 살얼음에 닿은 것처럼 화들짝 놀라 다시 발을 거둬들였다. 이내 겨울 밤바다의 찬 공기가 내 몸의 옅은 살결을 스쳤다. 그러고는 추워져 버리는 것은 정말 금방이었다. 팔과 다리가 따뜻해지도록 이리저리 손바닥으로 비비다가 결국 포기하곤 모래사장 위에 주저앉아 다시 하늘을 올려다보았다. 이제는 정말 깜깜해져 버린 하늘 위엔 달과 별들만이 모습을 드러내고 있었다. 뭔가 익숙한 기분이 들었다. 어릴 때도 이렇게 놀았던 것 같은데. 할머니와 함께 살았던 집이 바다랑 무척 가까워서 저녁을 먹고 심심하면 할머니를 억지로 끌고 바닷가 앞에서 노닥거리던 시간이 생각났다.

'할머니, 할머니. 진짜 잠깐만 있다가 오면 되잖아! 빨리 와!'

'에헤이…. 밤늦게 뭘 나가고 그려….'

'에구구, 춥다, 추워.'

춥다는 것을 강조하며 미간을 잔뜩 찌푸리면서도, 장난스러운 입가를 올리고 계시던 할머니의 모습이 생각났다. 우리 할머니는 참 바보 같은 사람이었다. 그렇게 춥고 얼음장 같던 날 그냥 내가 아무리 떼를 써도 받아주지 말지. 굳이 힘겨운 허리를 두드리며 나선 멍청할 정도로 다정한 그 사람은 우리 할머니

였다. 그때도 오늘처럼 발등으로 밀려오던 파도에 발을 집어

놓고 깔깔대다가 할머니와 밤하늘을 보며 이것저것 수다를 떨었

던가.

'너무 오래 발을 담그진 말어. 겨울 바다는 추워서 감기 걸려,

감기.'

'저 하늘이나 좀 봐라, 별들이 얼마나 이쁘냐? 너는 다 크면 이

할매한테 저것보다 큰 별 따다 줘야 하는 겨. 알겠제?'

할머니의 말에 젖살이 다 빠지지도 않는 내가 젖은 모래로 망가

진 바지를 툭툭 대강 털어낸 채 뾰로통하게 대답했었던가.

'할머니 바보. 별을 어떻게 따다 줘?'

'말이 그렇단 거제, 말이. 이제 어여 들어가자. 춥다.'

할머니의 등쌀에 떠밀려 다시 집으로 돌아가면서도 힐끔힐끔 뒤

돌아보던 바다의 모습이 아직까지 잊히지 않았다. 마치 지금처

럼 찬 공기에 귓불과 코끝이 시큰해지고 바다 내음이 자꾸만

맴돌던 그날의 일을 어떻게 잊을 수가 있을까. 잊을 리가 만무

한 건 당연하였다. 그날 바로 다음 날, 할머니가 돌아가셨으니

까. 언제나 그랬듯 평범한 이른 아침이었다. 전날 밤에 할머니

와 바닷가 부근에 있다가 들어왔다는 것을 제외하면 아주 평범

하게 밝아온 아침. 어린 내가 잠에 깨서 눈을 비비적거리다가

아직 일어나지 않은 할머니를 제치고서 거실로 향했다. 그새 눈

이 내리고 있었다. 추운 겨울의 함박눈이 마당에 소복소복 쌓여

만 가는 모습에 나는 신나서 마당으로 달려갔다. 차가운 눈을

뭉치고 굴려 작은 눈사람을 만들기 시작했다. 내 손바닥보다 조

금 큰 눈사람. 떨어진 나뭇가지를 손이 되도록 붙이고, 제일 작은 대추 두 개를 찾아서 눈동자 대신으로 붙였다. 꽤 그럴듯한 눈사람이 완성되었을 때가 되어서야 할머니가 떠올랐다. 내가 만든 눈사람을 자랑해야지, 눈이 오고 있으니 같이 놀자고 또 졸라야지. 몸의 눈가루를 털어내며 다시 방으로 향했다. 여전히 할머니는 꼼짝없이 자고 있었다.

"할머니! 밖에 눈이 와. 아주 펑펑 온다니까? 내가 만든 눈사람도 보러 가자!"

"......"

그러나 할머니는 말이 없었다. 몇 번을 크게 외쳐도 마찬가지였다. 나는 괜히 짜증이 솟구치는 어린 마음으로 힘껏 할머니의 팔을 잡아 올렸다. 팔이 돌덩이처럼 무거운 탓에 힘이 부족해 다시 툭 떨어트려 버렸다. 그러나 뭔가 부자연스럽다는 느낌이 들었다. 축 늘어진 인형 같은 느낌. 다시 할머니의 주름진 손을 만지작거렸다. 차갑고, 이질적인 감각이 생생하게 느껴졌다. 뼈에 질긴 가죽만 들러붙은 것 같은 할머니의 손이 얼음장처럼 차가웠다. 그리고 이상했다. 좋지 않은 예감이 순식간에 솟아올랐다.

"할… 머니?"

툭, 무언가 끊기는 소리와 함께 내가 도대체 무슨 정신이었는지 모르겠다. 아마 내 정신 줄이 끊어져 버린 소리였을까. 머뭇댈 틈도 없이 할머니 핸드폰을 열었다. 이미 할머니 핸드폰의 잠금 패턴을 어깨너머로 알고 있는 상황이라 다행이었다. 빠르게 119

로 전화를 걸기 시작했다. 이런 일이 일어나면 119에 전화해야 한다고 할머니가 생전에 신신당부하셨던 기억이 났다. 그러나 어린 나는 도저히 제정신이 아닌 상태로 중얼중얼 이곳이 어디인지 무슨 일인지 설명해야만 했다. 내가 유일한 할머니 임종의 가장 가까웠던 목격자였으니까. 응급실로 할머니를 데려가던 의사 선생님의 말씀으로는 할머니는 심장마비랬다. 노인 분들에겐 꽤 흔한 일이라고도 했다. 나이가 들수록 심장마비가 더 많이 걸린다던가. 그러니까 우리 할머니는, 사랑하는 우리 할머니는 아무런 준비조차 없이 돌아가셨다. 허무한, 너무나도 허무

한 일이었다. 얼굴 한 번 본 적 없던 친척들이 응급실 한쪽 의자에 기절한 것처럼 기대 있던 나를 일으켜 세웠다. 멍하니 그들의 모습을 바라보다가 걱정스러운 그들의 물음에 나도 모르게 자꾸만 목소리를 울먹거리게 되어버렸다. 얼굴 근육은 계속해서 일그러지고 구겨져서 웃지도 울지도 못하는 괴상한 표정으로 눈물 콧물 범벅이 되어 있었다. 울면 안 되는데, 이렇게 울어버리면 저분들이 얼마나 당황스러워하실까. 싶으면서도 그들의 따뜻한 토닥임에 계속해서 눈물이 나왔다. 그렇지만 일단 나는 할머니의 장례식을 치러야만 했다. 그 먼 친척들이 도와주셔서인지 나는 그저 빈소에 가만히 앉아있기만 하면 다 끝나는 일이기도 했다. 내리 삼일을 꼬박 울었다. 영정사진이라는 할머니 사진을 볼 때마다 더는 할머니를 볼 수 없을 것이라는 걸 어린 마음에도 직감적으로 알 수밖에 없었기에. 가슴에 홍수라도 난 것처럼 마구 울음만 쏟아냈다.

"아이고, 불쌍한 것. 혼자 남겨져서 어째."

빈소를 찾으신 친척 중 한 분인 고모가 앞서 내게로 다가오셨다. 안면 한번 없는 분이셨다. 새끼손가락으로 주름진 피부에 맺힌 눈물을 훔치며 내 등을 쓸어내렸다. 축축하고 주름이 자글 자글한 손바닥. 고모는 내게 불쌍한 것, 가엾은 것이라는 단어를 반복해 뱉어냈다. 듣기 싫었다. 저 말을 더 듣는다면 난 정말 다른 사람들이 생각하는 불쌍하고 가엾은 아이가 되는 것만 같았다.

"우리 집에 가면 좋겠지만, 우리 집이 잘사는 것도 아니라서 힘들 것 같구나, 얘."

고모가 말했다. 친절해 보이는 웃음 주름 뒤로 주위의 시선과 나를 키우면 나갈 돈들을 계산하는 세속적인 모습이 생생히 보여왔다. 나는 아직 어렸고, 멍청한 아이일 뿐이니까. 그들은 항상 친절한 모습으로 나타나 어쩔 수 없다는 듯이 떠나갔다. 병원에 혼자 있던 '불쌍한 것'을 달래주던 그들은 나를 직접 키움으로써의 '부담스러운 돈'은 책임질 수 없는 것이 어찌 보면 당연한 일이기도 했다. 모두에게 버림당한 불쌍한 아이, 그러니까 나는 솔직히 말하자면 보육원으로 버려진 셈이었다.

선택받지 못한 아이는 도태되어 버림당했다. 그것은 보육원에서 아이들을 한 명이라도 더 입양 보내기 위해 애쓸 때 깨달은 법칙이었다. 8살, 어렸지만 더는 어리지 않은 나이. 더는 귀엽지 않지만 돈 나갈 것은 많은 아이, 그것은 바로 '나'였다. 과거 회상을 끝낸 후의 겨울 밤바다는 살을 베어내는 듯 차가웠다. 날

카로운 칼바람에 벌게

진 손도 시리게 떨려왔다. 아, 어떡하지. 유난히도 할머니가 보고 싶은 밤이다. 보육원을 떠나 다시 혼자가 되어버린 지금, 미치도록 할머니가 그리운 밤이다. 차가운 모래가 발바닥을 따갑게 찔러와도, 짜디짠 바다 냄새가 지겹도록 풍겨 와도, 이 모든 것이 할머니와 함께였던 과거의 추억 중 하나였기에. 그것들이 나를 틀림없이 괴롭히고 아프게 만들지언정.

나는 다시 발길을 돌릴 수가 없었다. 정말 유난히도, 미치도록 혼자가 싫은 밤이기에. 결국 바닥에 주저앉아 캄캄한 바닷가 저 너머를 바라봤다. 아무것도 보이지 않는 밤바다의

고요한 파도 소리가 귓가를 채웠다. 돌과 파도가 맞닿는 소리, 파도와 파도가 맞닿는 소리, 해변으로 올라오는 파도 소리. 이 모든 게 형용할 수 없이 합쳐지고 뭉개져 차오르는 밤바다의

소리는 다시 한 번 나와 이별한 모든 것들을 그립게 만들어버렸다.

"보고 싶어, 보고 싶다. 보육원 동생들도 보고 싶고, 주방 이모도 보고 싶다. 우리… 할머니도 너무너무 보고 싶다."

입으로 그 생각을 모조리 뱉어내자마자 참을 수 없이 외로워져 버렸다. 입술을 꾹 짓뭉개며 얼얼한 눈가의 물기를 닦아내려고 애썼다. 점점 코끝이 뜨겁게 달아올랐다. 점점 바닷가의 형태가 눈물에 잠겨 흐릿해지기 시작했다. 바다가 뭔지, 하늘이 뭔지 구분이 안 될 정도로 눈물에 잠긴 세계가 어슴푸레하게 변했다. 눈물이 목구멍 안에서부터 따갑게 올라왔다. 열심히 울음

을 삼키려고 노력하고 있는데, 정말 거의 울음이 멈추려 하고 있었는데, 누군가 내 어깨를 뒤에서 살짝 두드렸다.

"저기… 괜찮으세요…?"

워낙 늦은 시간이기도 했고, 눈물 때문에 더욱 잘 보이지 않는 그의 얼굴이었음에도 나를 걱정하고 있다는 것 자체는 모를 수가 없었다. 너무나도 다정한 목소리였기에.

"무슨 일 있으세요?"

울음을 정말 거의 다 삼켰다고 생각했는데, 다시 눈물이 삐죽 튀어나올 것만 같았다. 목구멍에 막힌 울음이 조금만 뒤틀리면 내뱉어질 것 같았다. 엄지손톱을 손바닥 안쪽으로 꾹 짓눌렀다. 이렇게라도 하지 않으면 긴장이 풀려버릴 것이 분명했다.

"괜, 괜찮아요. 아무 일 없어요. 걱정해주셔서 감사합니다."

재빨리 부어오른 눈두덩이를 두 손으로 비볐다. 그러나 한번 참은 눈물은 다시 들어갈 생각을 하지 않았다. 멈추지 않는 눈물이 손가락을 타고, 뺨까지 흘러내렸다. 왜, 왜 이게 멈출 생각을 안 하는지. 당황한 나는 자꾸만 두 손을 들어 올려 눈가를 비볐다. 그러나 그 모습을 가만히 지켜보던 그는 내게 조용히 물었다.

"제가 당신 가까이 가도 될까요?"

그의 갑작스러운 물음에 나는 얼떨결에 고개를 끄덕였다. 붉게 달아오른 뺨을 타고 눈물이 계속해서 흘러내리고 있었다. 그는 내 옆으로 천천히 다가왔다. 그리곤 내 어깨와 등 부분을 일정하게 쓸었다. 토닥토닥, 아무 말 없이 그의 손바닥이 내 등에 닿을 때마다 내 몸도 함께 움찔거렸다.

따듯한 그의 손이 닿을 때마다 울음도 터질 듯이 움찔거린 탓이었다. 아, 이젠 진짜 못 참겠다. 눈물이 쉴 새 없이 떨어져 내렸다. 목이 나갈 듯이 펑펑 울음도 내뱉었다. 그의 팔을 꽉 붙잡고 그의 품에 고개도 파묻었다. 축축해지는 옷자락에도 아랑곳없이 그가 나를 꼭 껴안았다. 왜, 왜 처음 보는 내게 이렇게 잘해주는 걸까? 도대체 왜? 차가운 겨울바람이 내 귀 끝을 스쳐왔다. 목덜미를 찔러왔다. 그가 나를 제 품속으로 따듯하게 안았다. 더는 겨울이 춥지 않았다. 그의 몸에서 씁쓸한 시나몬 향과 시큼한 바다 향이 맡아졌다. 미친 듯이 뛰던 심장이 점차 가라앉기 시작했다. 그의 냄새는 내 머릿속을 평화롭게 안정시키는 힘이 있었다. 마치 어릴 적 우리 할머니의 품처럼. 익숙한 그리움과 심장에 차오르는 뜨듯한 감정이 마구 혼탁하게 섞였다. 이렇게 한참 동안 우는 건 할머니를 잃은 다음으로는 처음이라, 유일한 슬픔의 시간이어서. 조금 더 그에게 마음을 열고 싶었다.

"왜, 저를 도와주세요?"

내가 물었다. 정말 어이없는 무례한 질문이기 짝이 없었다. 도와준 사람에게 왜 도와줬냐니. 이런 어이없는 물음에도 나는 정말 궁금해 미칠 지경이었다. 솔직히 말하자면 난 바닷가에서 뜬금없이 처량하게 눈물을 펑펑 흘리는 이상한 노숙자가 아니던가. 내 물음에 그가 더듬더듬 대답할 말을 고르는 듯싶었다.

"그냥… 많이 슬퍼 보이셨고, 또 외로워 보이셔서요."

정말, 정말 어이없는 대답이었다. 그리고 이상한 대답이기도 했다. '외롭다'라는 글자를 반복해서 혀로 굴렸다. 외롭다, 외롭다, 외롭다… 정말 저 남자는 너무나도 멍청하고도 다정한 사람이었다. 우리 할머니 같은 사람. 바보 같은 사람이었다. 보통 다른 사람들은 슬퍼 보이는 사람이 있다고 해서 이렇게까지 도와주지 않으니까. 아무리 외로워 보인다 해도 이렇게 따뜻하게 안아주지 않으니까. 정말 멍청한 사람이지 않을 수가 없었다. 그렇지만 나는 외로운 사람이었다. 어떤 누군가라도 간절히 필요한, 나는 지금 너무나도 외로워 미칠 지경인 사람이었다.

나는 자꾸만 흔들리는 팔을 조금 들어 올렸다. 그리곤 그의 옷소매에 조심히 손가락을 얹었다. 움찔, 또 움찔 입술을 떨다가 입김을 살짝 뱉어냈다.

나는 지금 누군가가 간절히 필요하다. 그저 그뿐이었다.

"딱 오늘까지만 나랑 있어 줄 수 있어요?"

INTRO : 애옹유

겨울아, 겨울아. 1년이란 시간을 돌고 돌아 마지막 붉
은 잎을 끝으로 결국엔 돌아왔구나.
숨이 막히는 겨울의 내음, 손끝을 시리게 만드는 차가운 공기,
온기라곤 찾아볼 수 없게
만드는 네가 돌아왔구나.

겨울의 하늘은 유난히 공허하고, 마른 나뭇가지는 보는 나의 마
음도 공허함으로 가득 차지만 이게 네가 가진 유일한 것이라면
너만의 온기라 생각하고 담아두곤 한단다.

그러다 땅을 덮던 흰 눈이 사라지고 그 땅에 새싹이 자라기 시
작하면.
마른 나뭇가지가 푸른 옷을 입기 시작하면.
너의 온기가 아닌 다른 이의 온기가 내 마음을 녹이기 시작하
면.

네가 가고 봄이 온다는 뜻이겠지.
너는 이번에도 다가오는 봄에 이렇게 부탁했을 거야.
맑은 하늘과 온기가 가득하게 해주어 웃음으로 시작하게 해달라
고,

올해의 겨울은 유난히 추웠으니 봄의 온기로 모두를 녹여달라고.

겨울아. 봄의 꽃을 보고 웃고, 여름의 푸른 나뭇잎을 보고 웃고, 가을의 알록달록한 산을 보고 웃으며 보내다가 너를 맞이하면 그땐 담아두었던 너의 온기를 느끼며 웃으며 반겨줄게.
그러니 *또다시 나에게 와서 너의 온기를 보여주렴.*

그해 그 겨울 그 눈사람

그해

01. 그날은 유독 바람이 시린 날이었다. 해준은 목도리를 칭칭 감은 채 짚신도 제대로 안 신고 헐레벌떡 집 밖으로 뛰어나왔다. 끼익 거리는 시골집의 낡은 문이 바람에 흔들렸다. 하지만 해준은 개의치 않고 뽀득거리는 눈을 밟으며 즐거워했다. 조선의 시골은 유독 바람이 시렸을지라도 그날은 해준과 연에게 가장 중요한 날이었으니 말이다.

"이연! 너 도대체 언제 나오는 거야? 언제까지 기다려야 하냐고!"

"조금만 있어 봐! 무슨 애가 이렇게 성격이 급해."

어느새 코가 빨개진 해준이었지만 뭐가 그리 좋은지 마냥 웃고만 있었다. 그런 해준을 보며

서둘러 밖으로 나온 연이 키득거리기도 잠시, 팔을 끌어당기는 해준의 힘에 연은 그만 그대로 끌려갈 수밖에 없었다. 벌써 차가워진 해준의 손끝이 연의 살갗에 닿았다. 시린 겨울 공기가 해준과 연을 맞이했다. 집 마당을 지나 마주하는 겨울 아침은 부드러웠다. 어느새 나무는 단풍 옷을 벗어내 가느다란 가지만 남겨두었다. 그리고 어젯밤과는 달리 포근한 아침 햇살과 짚신 아래 닿는 차갑고 보드라운 눈이 겨울을 실감케 했다. 벌써, 겨울이었다.

"어휴, 요즘 황 씨 네 난리 난 거 알지?"

"알다마다! 그 집 막내아들이 골칫덩이라며."

집 밖을 나와 근처를 서성거리다 보니 이웃집 아주머니들이 수다를 떨며 지나가고 계셨다.

해준과 연은 아주머니들께 반갑게 인사하고는 또다시 발걸음을 놀렸다. 구름 한 점 없는 회색빛 하늘과 그 아래 비치는 하얀 태양 빛이 오묘한 분위기를 풍겼다. 작디작은 이 산골짜기 동네는 그런 곳이었다. 해준과 연 같은 사람들이 지내는 곳.

해준과 연은 부모님을 여의고 6년째 함께 생활하고 있었다. 10살쯤에 마을 전체에 난 커다란 화재로 쑥대밭이 된 재앙 사이에서 서로만 의지한 채 지금까지 살아왔다. 그래서 그들은 그 화재의 피해자, 즉 부모님을 기리고 앞으로 저들의 행복과 안위를 위해 꾸준히 해온 일이 있었다. 바로 눈사람 만들기. 어느새 16살의 겨울, 6번째 눈사람이었다.

자리 하나를 골라잡아 해준과 연은 털썩 주저앉았다. 그러고는 능숙하게 눈을 뭉치기 시작했다. 장갑 한 켤레도 없는 가난한 집안 속에서 눈사람 하나는 기필코 만들리라 결심하며 시린 손을 호호 불어댔다. 손이 아무리 시려도 눈을 꾹꾹 뭉치다 보니 어느새 물기가 흥건한 붉은 손이 그들 앞에 자리 했다. 그런데도 그들은 눈길 한 번조차 주지 않았다. 해준과 연은 자신의 붉은 손보다 눈사람이 더 중요했으니 말이다.

"아, 춥다."

"벌써? 목도리 줄까?"

"됐어, 너 해."

연의 손끝, 코끝, 귀 끝이 모두 붉었다. 해준은 마지못해 아침부터 두르고 있던 목도리를 연에게 벗어 주었다. 비록 헌 목도리였지만 해준의 체온이 담겨 있는 목도리는 따뜻했다.

연의 볼도 붉어지게 할 만큼. 커다란 눈덩이를 벌써 하나 만든 해준은 엉덩이를 툭툭 털고 일어났다. 눈사람의 자리를 잡으려는 듯 보였다. 비록 이 눈사람은 봄이 찾아오면 녹아버릴 하찮은 것일 테지만 겨울이 지속되는 한, 눈사람은 영원히 있을 테니까. 그렇기에 더더욱 신경 써서 자리를 잡은 해준은 빙긋, 입꼬리를 올렸다. 그러고는 왜인지 슬퍼 보이는 연을 불렀다.

"…… 너 괜찮냐?"

"무, 뭐가?"

"많이… 보고 싶은 거지."

"……."

응. 연의 간결한 대답이 얼어붙은 공기 사이로 비집고 들어왔다. 연이 만들고 있던 눈덩이를 부서지게 꽉 움켰다.

파스슥, 결국 눈덩이가 부서졌다. 그리고 그 부서진 조각은 연의 그리움에 적셔졌다. 투둑, 투두둑. 영하의 날씨임에도 불구하고 연의 눈물은 너무 뜨거운 탓인지 얼지 않고 떨어졌다. 연의 다 얼어버린 손에도 눈물이 떨궈졌다. 눈물이 닿은 피부는 아렸다. 따뜻하고, 너무 뜨거워서.

그런 연의 시선 속에 갑자기 손이 등장했다. 그러고는 다 부서진 눈덩이들을 하나로 뭉치며 연과 눈을 마주쳤다. 투박하고도 섬세한 손길, 해준이었다. 해준은 눈물범벅이 되어버린

연의 얼굴을 옷소매로 닦아주며 하나로 뭉쳐진 눈덩이를 손에 쥐여주었다.

"봐, 물기가 좀 있으니까 더 잘 붙지? 울고 싶으면 좀 울어도 돼. 울고, 또 울다 보면 어느새

부서졌던 마음이 하나로 붙을 테니까."

"… 너 또, 막 그렇게 쓸데없는 말 하지 마!"

눈물 자국이 몇 번이나 덧대어져 슬퍼 보였던 연의 얼굴에 조금씩 미소가 보이기 시작하였다. 연의 시선 속에는 하늘도, 나무도, 눈도 아닌 오로지 해준만이 가득 차 있었다.

함박웃음을 지은 채 콧물을 찍 흘린 해준만이.

"… 근데 너 콧물 흘린 거 알아?"

"아, 뭐야~! 빨리 알려줬어야지! 이런 몰골로 그런 대사를 내뱉으면 안 멋있잖아!"

연은 입까지 가리며 즐겁게 웃어댔다. 어느새 자욱했던 눈물 냄새는 연을 떠나간 지 오래였다. 그리고 해준은 옷소매로 콧물을 훔치며 얼굴을 붉혔다. 추워서 그런 건지, 부끄러워서 그런 건지는 해준만 알겠지만.

또다시 시시콜콜한 대화를 하며 만들다 보니 어느새 눈사람의 기본적인 외형은 완성되었다. 연은 챙겨온 가방을 열어 눈사람을 꾸밀 것들을 꺼내었다. 주변에서 주운 나뭇가지, 오밀조밀한 돌멩이, 자그마한 나무 껍데기 등등. 비록 초라하기야 하겠지만

해준과 연에겐 다시 없을 소중한 재료였다. 연은 이 추운 겨울날에 모자 하나 없이, 목도리 하나 없이 겨울을 이겨내야만 하는 눈사람들이 안쓰러워 보이기도 했지만 어쩔 수 없었다.

그들도 그러했으니 말이다.

타오르는 불 속에서 연을 내보내는 엄마의 마지막 외침은 여전히 꿈속에 아른거렸다. 해준이를 잘 챙기고, 꼭 살아남으라고. 굳이 기리기 위해 눈사람을 만드는 것도 그 이유였다.

뜨겁게 가버렸으니, 차갑게 그리워하는 걸 엄마는 좋아할 거라는 연의 마음 때문에. 해가 중천에서 조금씩 내려가자, 어엿한 눈사람의 모습이 두 사람을 반겼다. 활짝 웃는 얼굴과 짤막한 팔이 제법 맘에 든 탓인지 해준과 연은 추운 줄도 모르고 다시 눈바닥에 앉았다. 그리고서는 가만히 눈사람을 바라보는데 해준과 연은 문득 어린 시절이 떠오른 것 같았다. 우수에 찬 눈빛이 우두커니 서 있는 눈사람들을 응시하고 있었으니 말이다. 그 후 얼마나 지났을까, 해준과 연 사이로 한 그림자가 불쑥 등장했다.

"안녕, 얘들아! 이 눈사람 너희가 만든 거야?"

02. 갑자기 드리운 그림자에 놀란 해준과 연은 황급히 뒤를 돌아보았다. 그 그림자의 주인은 제 또래로 보이는 애였다. 하지만 꾀죄죄한 해준, 연과는 달리 부티 나는 그 애는 눈사람에게는 없었던 따뜻한 목도리와 장갑, 모자가 있었다. 또한 깔끔하게 정리된 옷매무새와 고운 피부, 향기로운 향까지. 꽤 부잣집

인 집에서 자란 듯한 모습에 연은 의심의 눈초리를 거두지 못했다. 부족함 없이 풍족하게 자란 이들이 저들 같은 사람들에게 말을 걸 일은 없기 때문에.

하지만 해준은 달랐다. 해준은 눈을 반짝이며 그에게 잔뜩 흥미를 보였다. 그만은 아직 연과 달리 세상 물정 모르는 해맑은 아이였으니 말이다. 부티 나는 그 애의 질문 한 마디는 서먹한 공기 속으로 파묻힌 것인지, 해준과 연은 도통 입 밖으로 말을 내뱉지 않았다. 그저 아무 말 없이 연은 안절부절못하고 있었고, 해준은 선망의 눈길을 보내고 있었다. 아까 해준과 연이 가진 우수에 찬 눈빛은 온데간데없이, 지금은 오로지 이 상황을 타파하기 위한 방법을 나름의 방식으로 찾아 나갔다. 그게 연은 의심이었고, 해준은 선망이었다는 게 문제였지만 말이다.

"근데 얘들아⋯. 대답 안 해줘? 나 계속 기다리고 있는데⋯⋯."

"아, 아아! 응! 이거 우리가 만들었어!"

"⋯⋯."

"그렇구나- 정말 멋있다! 그런데 너희 이름은 뭐야?"

"정해준이야! 얘는 이연이고!"

연의 머릿속에서 이 상황을 타파하기 위한 방법을 찾기도 전에 정적이 깨져버렸다. 멈췄던 공기가 다시 흐르고, 얼었던 바람이 다시 부는 것만 같은 이 느낌. 연은 불길했다. 무언가 단단히 엮일 수밖에 없는 운명이기에, 불행이 찾아온 줄도 모르고 그 파도에 삼켜질 운명을 가지게 된 것 같이. 왜인지, 이유는 알 수 없지만 연은 알 수 있었다. 본능적으로.

하지만 해준은 연의 타들어 가는 속을 아는지 모르는지, 그가 하는 말에 고개를 끄덕이며 모두 답해주고 있었다. 만난 지 얼마 되지도 않았건만 벌써 혁혁대는 강아지처럼 그를 대하는 해준이 연은 그다지 맘에 들지 않았다. 또한 혁혁대는 강아지가 가지고 있는 초롱초롱한 눈망울을 그에게 내비치는 것 또한 맘에 들지 않았다. 당장에라도 머리를 한 대 쥐어박고 집으로 끌고 가고 싶었지만, 연은 곧이어 들려오는 그의 목소리에 그만 그를 다시 쳐다볼 수밖에 없었다.

"그게, 사실⋯ 내가 너희한테 온 이유는 하나야. 너희, 후원하려고!"

"⋯ 뭐?"

후원, 연과 해준을 돌봐주겠다는 그의 말은 연에게 그야말로 청천벽력이었다. 하지만 해준은 마냥 좋은지 동공이 마구 커지고 기쁨을 주체할 수 없다는 듯이 행동했다. 연의 눈에는 철딱서니 없는 모습으로 보였지만 그 애의 눈에는 어떻게 보였을까. 후원을 해준다는 말에 기뻐하는 해준을 친한 친구로 보았을까, 혹은 까짓 거 후원 하나 해준다고 좋아하는 해준을 멍청한 개로 보았을까. 연은 해준이 이대로 가다가는 저가 없이도 불쑥 그이를 따라갈까 두려운 것인지, 해준의 손을 꽉 붙잡았다. 그리고 현실을 직시했다. 지금 연과 해준이 처한 비참한 현실, 닥칠 미래, 아팠던 과거. 모두 비참함만 남아있었고, 남아있고, 남아있을 질척임에 고개를 떨구고 말았다. 그래, 연은 결심했다.

“… 나 뭐 하나만 물어봐도 돼?”

“뭐든지 물어봐! 다 답해줄게.”

“너 이름이 뭐야? 네 가문은 어떤 곳이길래 우릴 후원해? 너 부모님께 허락은 받았어? 그리고, 우리를 왜 후원해?”

하하, 궁금증이 많은 친구구나. 대충 고개를 주억거리며 늘어나는 질문거리에 당황을 금치 못하는 그 애는 목을 가다듬더니 천천히 대답하기 시작하였다. 그의 이름은 황강민이고,

이름에 따라 그는 황씨 가문, 애초에 부모님이 시켜서 한 일이란다.

“마지막 질문.”

“… 음, 그건 말이지……. 우리 집 가서 따뜻한 차나 마시면서 찬찬히 얘기해볼까?”

강민은 교묘하게 화제를 돌렸다. 해준은 그 교묘함에 속아 넘어갔다. 아까와 마찬가지로 연을 보며 간절한 눈빛을 보내는 해준. 차마 이제 연은 무시할 수 없었다. 후원을 한다는데,

설마. 자칫 안일한 생각일지도 모르지만, 이 기회를 넘기는 것도 어쩌면 안일한 선택일 수도 있기에, 연은 일단 해보았다. 뭐든.

결국 강민을 따라 연과 해준은 자리를 떴다. 점점 멀어져 가는 눈사람을 계속 뒤돌아보는 연, 그리움은 어쩔 수 없었던 모양이다. 왠지 모르게 저 눈사람을 보는 것은 이 순간이

마지막인 것처럼. 눈사람을 계속해서 지켜보면서도 연은 강민을 졸졸 따라가는 해준을 마지못해 쫓아갔다.

얼마나 따라갔을까, 연의 발바닥이 슬슬 아프려던 참에 서서히 거대한 기와집이 보이기 시작했다. 이 마을에 제일가는 부잣집, 황 씨 네였다. 연과 해준은 커다란 대문을 보고 감탄을 금치 못하였다. 해준은 대문을 넘어가고서도 계속 감탄을 연발하였다. 마지막까지 의심의 끈을 놓지 않던 연도 놀라긴 마찬가지였다. 그만큼 강민의 집은 해준과 연에게 놀라움을 주었던 것이었다.

"우와……. 진짜 이게 집이야‥?"

"응! 이 정도면 너희를 후원하고도 남겠지?"

"……."

해준의 탄성 소리가 넓은 마당을 가득 메웠다. 그리고 연은 결국 받아들일 수밖에 없었다. 여기서 후원을 받아야 하는 운명을. 조금은 걱정되고 불안한 마음이 아직 한 구석을 차지하고 있지만, 일단 지금은 살아야 하기 때문에. 해준과 연은 눈사람을 뒤로 한 채 강민의 집에 얹혀살게 되었다.

03. 해준과 연이 강민의 집에 얹혀살게 된 지 며칠 후였다. 연은 집에서 가져올 짐들이 있어

강민의 집에는 해준과 강민만 남게 되었다. 참새가 짹짹거리며 기와집을 콕콕거렸다. 해준은 마루에 걸터앉아 가만히 겨울 하늘을 바라보았다. 해준은 차디찬 한겨울이 가고 봄이 온 것만 같았다. 차디 찬 한겨울처럼 고되었던 시절을 지나 따스한 봄처럼 따뜻한 강민을 만났으니 말이다.

그런 해준의 곁으로 사박거리는 발걸음이 자리 잡았다.

따뜻한 차를 들고 오는 강민이었다.

"해준아, 차 마실래?"

"어, 응응!"

해준은 뜨거운 차를 받아들었다. 차 위로 끊임없이 김이 모락모락 피어올랐다. 콧등을 쿡쿡 찌르는 김 때문에 차를 마시기가 버거웠다. 하지만 이 뜨거운 차를 강민은 어찌나 잘 마시는지 마시고서도 입에 문 채 차의 향을 느끼기 바빴다. 해준은 강민의 그런 모습조차도 멋있어 보였다. 응당 동경할 만한, 선망할 만한 인물이라고 생각되었다.

해준이 차를 마시는 강민을 뚫어져라 쳐다보자, 강민이 차를 마시다 고개를 돌렸다. 그러자 해준과 눈이 딱, 마주쳐 버렸다. 그러나, 강민은 피하지 않았다. 무언가 할 말이 있다는 듯이.

"음…. 너도 대충은 알고 있지? 나 황씨 집안에서 골칫덩어린 거."

"… 모르지는 않지……."

"세간에서는 우리 형들이 열심히 가꾸고 일궈낸 결과라고들 하지만, 사실 그거 다 내가 한

거거든. 형들이 내 친어머니를 두고 나를 협박해서 어쩔 수 없이 넘긴 거란 말이야……."

"뭐, 뭐라고? 그럼 너 완전 억울한 상황 아니야?"

"그렇지. 그렇게 난 무능력하고 쓸데없는 아들이 되었고, 그러다 보니 친구도 없고…….

그래서 처음에 널 봤을 때 너랑 꼭 친구가 되고 싶다고 생각했었어!"

"저, 정말?"

해준의 두 눈이 동그래졌다. 연의 말에 따르면 돈 많은 부잣집 사람들은 다 시기 질투에 권력욕이 많아 조심해야 한다고 했다. 그런데, 강민은 과연 정말 그런 사람이 맞을까?

적어도 해준 눈에 보이는 강민은 시기 질투와 권력욕에 휩싸인 부잣집 사람들에게 피해를 받는 피해자 같았다. 강민은 눈을 번뜩이며 놀래던 해준이 갑자기 고개를 떨구자 그에 맞춰 해준과 눈을 맞추려고 애썼다.

"너 괜찮아?"

"아, 으응…. 그냥 전에 연이가 했던 말이 생각나서. 부잣집 사람들은 다 나쁘다고, 그래서

조심해야 한다고."

아……. 강민이 동의한다는 듯 고개를 천천히 주억거렸다. 해준과 강민은 그렇게 따사로운 햇볕에 녹아가는 눈을 한참 바라보았다. 그토록 사납게 오던 눈도 야속하지, 고작 낮이 품은 햇빛 하나로 녹아버리는 게 씁쓸했다. 녹고, 녹아서 기와로부터 물 한 방울이 톡 떨어질 때.

그때 해준은 벌떡 일어나 강민과 눈을 똑바로 마주쳤다.

"나도! 나도 너랑 친구가 되고 싶어! 나는 네가 그런 아픔을 가지고 있을지 몰랐어."

"정말이지?"

근심이 가득했던 강민의 얼굴 위로도 따사로운 햇빛이 드리웠다. 그날 눈이 녹아내리던 야속한 날, 해준의 맘에도 눈이 녹아내렸다. 그 눈이 녹음으로써, 어떤 판도라가 드러날지도 모른 채.

얼마 후, 끼이익 거리며 열린 대문 사이로 연의 발이 쏙 들어왔다. 연은 대문 밖에서부터 들려왔던 강민과 해준의 왁자지껄한 소리를 대문 너머에서 들으니 더 화가 치밀어 올랐다.

그저 강민을 곧이곧대로 믿는 해준이 못마땅할 뿐이었던 연은 울컥, 화가 치밀어 올랐는지 버럭 소리를 질러버렸다. 연 자신이 들어온지 조차 몰랐던 해준과 강민을 향해서 말이다.

"야!"

"어? 이연 왔어?"

"갑자기 왜 소리를 지르고 그래. 뭐 속상한 일 있었어?"

"너 도대체 무슨 꿍꿍인데…….."

연이 입술을 짓이기며 강민을 노려보았다. 가볍게 눈길을 흘리며 미소를 짓는 강민은 대충 손짓으로 해준을 안으로 들여보냈다. 그리고는 연을 향해 한 발자국씩 다가갔다. 저벅, 저벅.

갑자기 다가오는 강민에 연은 잠시 주춤하려다 땅을 밟고 섰다. 강민을 똑바로 바라보는 연, 그리고 그런 연을 가소롭다는 듯 내려 보는 강민. 그때 강민의 눈빛은 해준을 보던 눈빛과는 전혀 달랐다.

"봐, 눈빛부터 다르잖아. 우리한테 왜 접근한 거야."

"흐음, 내가 이래서 눈치 빠른 것들은 싫어하는데 말이야."

강민의 눈은 흥미 없다는 듯 생기를 잃었고, 입꼬리는 재미없다는 듯 일직선이 되었다. 연을 쳐다보는 눈빛만이 날카로운 그 순간. 연은 심증으로만 캐캐 묵었던 의심을 확신으로 거둬낼 수 있었다. 연에게뿐만 아니라 그 어떤 이가 보더라도 지금 강민의 태도는 오만방자하기 짝이 없었으니 말이다. 강민은 천천히 고개를 숙여 연의 귓가에 나지막이 속삭였다.

"나대지 말고 있어, 안 그래도 가느다란 목숨줄 한 방에 끊기기 전에."

"허! 됐어, 당장에라도 나갈 거니까."

연이 눈을 치켜뜨며 강민에게 경멸을 표했다. 당장에라도 달려들 것처럼. 연은 역시는 역시라는 말을 중얼거리며 아랫입술을 콰득, 깨물었다. 어차피 부잣집 사람들은 다 이러는데. 뭐가 그렇게 믿음직스러웠다고 고새 조금은 마음을 내어 준 자신이 연은 짜증이 나 미칠 것만 같았다. 그렇기에 연의 발걸음은 해준을 데리러 가기 위해 거침없이 내디뎠지만, 강민은 개의치 않는다는 듯이 아까와는 다른 온화한 미소를 지었다. 그리고

강민은 그 미소와 함께 방 안에 들어가 있던 해준을 불렀다. 그 누구보다 상냥한 목소리로 말이다.

해준아, 강민의 부드러운 목소리는 연의 발걸음보다 빨랐다. 그리고 그 목소리에 대한 해준의 답은 더 빨랐다. 해준은 무슨 일이냐는 듯 천연덕스럽게 문을 열고 등장했다. 연은 곧바로 강민을 보며 이건 또 무슨 꿍꿍이인지 의문을 표했다. 그 의문에 강민은 어깨만을 들썩였지만. 하지만 연은 금방 알 수 있었다.

강민이 쳐놓은 덫이 쥐도 새도 모르게 발끝까지 쫓아왔다는 사실을.

"해준아, 우리 오늘부터 뭐하기로 했었지?"

"친구 말하는 거야?"

맞아, 친구! 강민이 유레카라는 듯이 손뼉을 짝 치며 환호했다. 그러고는 연을 향해 한쪽 입꼬리를 씩 올리며 웃어 보였다. 연은 강민이 해준을 붙잡고 저들을 놓아주지 않을 거란 걸 깨달았지만, 왜 그러는지 이유는 알 수 없었다. 왜? 도대체 왜? 마을 어귀에 살던 거지 애들한테 뜯어낼 게 무엇이 있다고? 연은 아무것도 알지 못했다. 하지만 알지 못한 건 해준도 마찬가지였다. 이 상황을 아무것도 모르던 해준은 연과 강민의 상태를 보고 고개를 갸우뚱할 뿐이었다. 결국 연이 움찔거리며 해준을 바라보았다. 그리고 생각했다. 해준이 그리고 그리던 것들을.

해준은 부모님이 돌아가시고 고아가 되기 전부터 친구란 존재를 바라고 또 원해왔다. 함께 밤하늘의 별자리를 세고, 함께 푸른 풀숲을 뛰어다니고, 함께 웃고 우는 그런 친구. 해준은 사람의 정이 필요했다. 하지만 연은 그 사람의 정을 채워줄 수 없었다. 그때의 해준이 가장 의지하고 있는 인물이었음에도 불구하고. 연은 그런 사사로운 감정에 메어 있어서는 안 되는 존재였기 때문이었다. 연에게는 감정 놀이보다도 지금 닥치고 있고 닥칠 어려움에 대응해야 했다. 그로 인해 해준의 마음 한구석이 찬기가 맴돌지라도 해준의 몸 한구석이 차가워져서는 안 되었기에. 그랬기에 연은 더욱 마음을 다잡고 다잡을 수밖에 없었고, 해준은 무너지고 무너질 수밖에 없었다.

연의 고개가 떨궈졌다. 해준이 강민을 보는 해사한 웃음에 연의 입은 떨어질 기미를 보이지 않았다. 그의 마음 한쪽을 채워줄 존재가 되지 못했던 것이 내심 미안하기라도 했던 건지,

아니면 떠나자는 말을 건넸을 때 해준의 반응이 두렵기라도 했던 건지는 모르겠지만. 연의 망설이는 모습에 강민은 통쾌하다는 듯 웃기 시작했다. 여전히 영문을 모르는 해준은 마루에 어정쩡하게 서 있었다. 하지만 이내 강민이 깔깔 웃는 걸 보더니 안심이 되었는지 키득키득 웃기 시작했다.

"그래, 해준아. 우린 친구야, 그렇지?"

"응! 우리 친구 됐어, 연아~!"

그날 그때, 해준의 맑은 표정을 본 연은 아무 말도 할 수 없었다.

04. 며칠 후, 그날부터 해준과 강민은 특히 붙어 다니기 시작했다. 그러면서 해준은 자연스레 연과 멀어지게 되었다. 해준은 이 순간이 너무 소중하고 행복했다. 평생을 꿈에 그리던

친구라는 존재를 얻게 되었으니 말이다. 게다가 그 존재가 이 마을의 부잣집 아들이라면? 뭐, 꼭 돈이 많지 않았더라도 해준은 좋았을 것이다. 강민은 누구보다도 해준을 잘 이해해주고 받아주었기 때문에. 그래서 그런가, 연이 해준에게 큰마음 먹고 이곳을 떠나자고 얘기할 때마다 해준은 연에게 짜증을 퍼부었다. 어떻게 그럴 수가 있냐고, 다시 그 거지 같은 곳으로 돌아

가고 싶은 거냐고, 정말 그러고 싶은 거라면 혼자 가라고. 해준은 연이 그에게 지금까지 들어보지 못했던 화까지 버럭버럭 다 내버렸다. 그렇게 그들은 천천히 분열되기 시작하였다. 그날도 연은 해준과 대판 싸우고 난 뒤, 마당을 걷고 있었다.

"하⋯. 그때는 몸이 좀 힘들었어도 지금처럼 마음이 힘들진 않았는데."

연은 해준에게 좋게 말해보려다가 또다시 실패한 저를 자책하고 있었다. 머리를 콩콩 쥐어박으며 어떻게든 이 정체 모를 집안을 빠져나가기 위해 머리를 암만 굴려보아도 답은 나오지 않았다. 그리고 그 답을 더 오리무중으로 만들어 버리는 건 해준이었고. 연의 머리가 터지기 일보 직전인 그 순간, 아침에 강민의 아버지와 강민이 들어간 방에서 시끌시끌한 말 소리가 들렸다. 연은 그 대화를 놓쳐서는 안 될 것 같다는 강한 촉이 들었다. 곧바로 창호지에 귀를 바짝 갖다 댄 연이 들은 대화는 연의 생각을 180도 뒤바꾸기 충분했다.

"강민아, 그래서 이 아비가 시킨 일은 잘하고 있느냐."

"그럼요, 아버지. 말씀하신 대로 6년 전 아버지가 손수 처리하신 네 분의 아들, 딸을 후원하고 있습니다. 정 씨의 정해준과 이 씨의 이연, 맞지요?"

"정확하구나. 그래, 이제 너도 철이 들 때가 되었지. 그래서 그 아이들은 언제 처리한다고?"

"아직 확실치는 않지만, 곧일 것 같습니다."

"그래, 우리 황 씨의 아들이라면 손에 칼은 들어봐야지."

연은 입을 틀어막았다. 6년 전이라면, 연과 해준의 부모님이 화재 사고로 돌아가신 바로 그해였다. 황씨 가문이 저와 해준의 부모님을 처리했다는 말이, 꼭. 꼭, 황씨 가문이 부모님을 죽인 것처럼 들렸다. 그리고 머지않아 해준과 저도 죽일 것처럼 들렸다. 연은 그럴 리가 없을 것이라며 스스로를 다독였지만, 이 대화는 다른 방법으로는 해석될 도리가 없었다.

연의 눈동자가 떨리기 시작하였다. 그녀가 이해한 이 대화 내용이 정말 사실이라면, 친구고 자시고 할 것 없이 해준과 연은 바로 도망쳐야 할 게 분명했으니 말이다. 하지만 왜 저들을 죽이려고 하는 것인지, 왜 저들의 부모님을 죽였던 것인지 알기 위해서는 나머지 대화를 들어봐야 했다. 연은 두려운 마음을 꼭 품은 채 다시 창호지에 귀를 바싹대었다.

"그 아이들은 분명히 내가 부모를 죽이는 걸 봤을 것이야. 지금까지는 용케 들키지 않았지만… 위험 요소는 미리 없애는 게 좋겠지."

"조용하고 신속하게 처리하겠습니다."

아아, 연의 다리에 힘이 풀려버렸다. 눈물이 나올 것도 같았다. 나는 당신이 우리 부모님을 죽인 걸 오늘 처음 알았단 말이에요, 나는 그걸 보지도 못했단 말이에요, 따위를 중얼거리며 머리를 감싸는 연. 풀썩, 눈 위에 주저앉아버렸다. 연은 차가움도 느끼지 못한 채 단 한가지만을 머릿속에 계속 되뇌었다.

살자. 살아야 한다.

연이 달렸다. 차가운 바닥을 뒤로 하고 해준에게로 죽을힘을 다하여 뛰었다. 세찬 바람이 살갗을 휩쓸고 지나가도, 딱딱한 눈이 고무신을 붙잡아도. 연은 무작정 달렸다. 연의

그림자를 강민이 지켜보고 있는 줄도 모른 채.

***

다음 날 새벽, 연은 묵묵히 짐을 싸고 있었다. 아직 아침 해도 다 트지 않은 시각, 연은 옆에 곤히 자고 있는 해준을 물끄러미 쳐다보다 표정을 더욱 굳히고는 꾸러미를 더욱 세게 조였다.

연은 오늘, 일출 전에 이 집을 떠날 것이다. 해준도 함께.

어젯밤, 연이 생각해 낸 탈출 방법은 단 하나였다. 대충 마을을 산책한다고 하고 무작정 데리고 나간다면 해준 또한 안 갈 이유가 없으니 말이다. 그러고 나서 이 집을 뜨면, 마을을 떠날 것이다. 이 마을 안에 있다면 잡히는 건 시간문제일 테니 망설일 시간이 없었다. 연은 동이 터오자, 해준을 살살 흔들기 시작했다. 하지만 그때, 다시는 보고 싶지 않았던 불청객이 찾아왔다.

"연아? 안 자고 있지? 내가 할 말이 있어서 그런데, 나와줄 수 있어?"

"……."

"… 안 자고 있는 거 다 아니까, 나와."

연의 목울대가 움직였다. 꼴깍, 침을 삼키는 소리도 들리는 고요한 시각, 강민이 연을 불렀다. 연은 지금 나가지 않으면 강민에게 의심의 싹을 틔워주는 꼴이 될까 싶어 조금씩 움직였다. 해준이 깨지 않도록. 나, 금방 돌아올게. 연이 조용히 중얼거리

며 해준의 앞머리를 넘겨주었다. 연이 문을 열고 새어 나오는 햇빛을 가리며 강민을 마주했다. 그리고 곧 다시

들어올 수 있을 것만 같았던 햇빛은 결국 들어오지 못했다.

"무슨 일이야."

"아, 뭐 특별한 건 아니고-."

문을 열자 보이는 강민은 연과 눈이 마주치자마자 함박웃음을 지었다. 꼭, 해준에게 보여주던 그 가식적인 미소같이. 연은 꺼림칙한 웃음을 뒤로 하고 본론으로 들어가려 했다.

하지만 강민은 자꾸만 본질을 흐렸다. 꼭 시간을 끌려는 듯이 말이다. 강민과 팽팽한 신경전을 벌이는 그날은 유독 햇볕이 따스했다. 겨울인지라 아무리 햇살이 비춰 와도 추웠는데 그날따라 더 따뜻한 느낌. 연은 사박거리는 눈을 밟으며 마을 길을 머릿속으로 생각해보았다. 강민이 옆에서 무어라 계속 중얼거리고는 있지만 귀에 잘 들어오지 않았다. 곧 강민을 피해 달아나야 하는 신세이니. 연은 그가 금방 말을 맺을 줄 알았건만 생각보다 길어지는 대화에 슬슬 조급해지기 시작하였다. 말하는 내용도 그다지 쓸모 있지는 않은 것 같은데. 연은 강민을 따라 계속

걷기만 했다. 어느새 대문까지 다다를 만큼. 결국 해가 점점 모습을 드러낼 때쯤, 연은 절대 쳐다보지 않던 강민을 마주하고 섰다. 더는 시간을 지체할 수 없었기 때문에.

"너, 도대체 무슨 말이 하고 싶은 거야?"

"아, 연이하고도 대화를 좀 하고 싶어서 그랬는데. 불편했어?"

"이상한 소리 집어치워. 나 빨리 들어가야 하니까."

"왜? 해준이랑 도망치려고?"

그, 그걸 네가 어떻게 알아! 연의 얼굴이 순식간에 사색이 되었다. 그런데도 불구하고 강민의 표정은 들어오는 햇빛처럼 평온했다. 꼭, 연의 계절은 겨울 같았고 강민의 계절은 봄인 것만 같았다. 또다시 그날처럼 연에게 다가오는 강민의 손에는 작은 단도가 들려 있었다.

"나, 다 알고 있어. 너 그때 다 들었잖아."

"무슨 말을 하는 건지 나는 모르겠네?"

연은 당황한 기색을 감추고자 강민의 집요한 시선을 피해 눈을 돌렸다. 그리고 아무것도 모른다는 듯이 새초롬한 표정을 지었다. 이런 것으로 그의 손아귀를 벗어날 수는 없을 것

같지만 그래도. 연은 당장에라도 도망치고 싶었다. 하지만 실낱같은 희망이라도 잡아보려 애쓰는 연을 비웃기라도 하듯 강민은 다시 그날처럼 웃기 시작하였다. 목에 칼날을 들이밀며 말이다.

"알고 있으면서, 너 연기 되게 못 한다?"

"……."

"다 들었으니까 내가 지금 뭘 하려는지도 잘 알겠네?"

강민은 대문으로 연을 서서히 몰고 갔다. 연은 강민의 발걸음에 맞춰 뒷걸음질 했고, 강민은 연의 두려움에 찬 표정을 보며 발걸음을 더욱 빠르게 했다. 연의 새하얀 목에 가느다란 선이 그어졌다. 앗, 연의 옅은 신음 소리가 대문에 부딪혔다. 강민은 그런 반응이 재밌다는 듯 또 다시 웃기 시작했다.

연은 따끔거리는 목을 부여잡으며 예전과 마찬가지로 이 상황을

타파할 방법을 생각해 보았지만, 그때와 마찬가지로 타피할 방법은 존재하지 않았다. 불행이 찾아온 줄도 모르고 이 상황에 걸어들어와 파도를 맞게 된 연 본인이 바보 같았다. 연의 눈망울에 천천히 물이 고이기 시작하였다.

"왜, 어차피 예견된 일이었잖아?"

"난, 너희 아버지가 우리 부모님을 죽인 걸 몰랐어…. 그날 처음 알았단 말이야!"

"음? 어쨌든, 들었으니까 알고 있다는 거 아냐? 그럼 죽어야지."

"…!"

"있잖아, 난 아버지께 인정받아야 해. 그런데 이렇게 인정받을 기회를 넙죽 주었으니 그걸 잘 받아먹어야 하지 않겠어? 게다가 그 정해준이란 놈은 내가 하는 말이라면 다 믿던데."

"우, 우리 엄마 아빠랑 해준이 엄마 아빠는 왜 죽였는데!"

"아, 그건 내가 아니라 아버지가 하신 거긴 한데."

단도를 휘휘 돌리며 어깨를 으쓱이는 강민의 모습은 여전히 오만방자하기 짝이 없었다. 그런 우쭐대는 표정으로 말하는 제 아버지와 어머니, 그리고 해준의 아버지와 어머니가 이 세상을 뜬 이유는 더욱 오만방자하기 짝이 없었다. 강민의 아비가 산책을 하다 목이 말라 연의 어머니께 물을 명령했는데 깨끗한 물을 대령하지 않았다는 게 그 이유였다. 그리고 연의 어머니와 함께 있던 해준의 어머니는 깨끗한 물이 준비되고 있지 않다는 걸 알면서도 무시한 게 그 이유란다.

죽음의 이유는 너무도 단순했다. 너무 단순해서, 너무 간결해서.

더욱 눈물이 났다. 연은 털썩 주저앉았다. 새하얀 눈이 아닌, 더러운 온갖 것들이 다 섞여 있는 회색빛 눈일지라도 그녀는 두려웠다. 다가오는 칼날을 피하지 못했다. 해준과 연이 만든 눈사람 중 하나가 녹아 없어지고 말았다.

***

그 시각, 해준은 시끌시끌한 소리 때문에 눈을 비비며 일어났다. 그 소리가 연의 마지막 외침인 줄도 모르고 눈만 끔뻑끔뻑 뜨던 해준은 시린 바람에 몸을 떨었다. 아침인지라 더욱

쌀쌀하게 느껴지는 온도도 있겠지만은 오늘따라 해준은 더 세게 닭살이 돋는 게 여간 이상했다. 그래도 대수롭지 않게 생각하고 넘기려는데 아까 들리던 소리가 갑자기 멈추었다. 해준은 무엇인가 낌새를 느낀 것인지 추운 줄도 모르고 서서히 다가갔다.

이른 아침에, 그것도 멀리 있는 대문에서 소리가 나다 보니 일꾼들은 듣지 못한 것 같았다. 해준은 그 길을 홀로 걸어갔다. 그날따라 눈이 더 차가웠다. 바람은 더 매서웠다. 옷깃을 더욱 단단히 여미고 대문으로 가까이 간 해준은 꼭 쥐고 있던 옷깃을 놓칠 수밖에 없었다.

하얀 눈이, 붉어졌기 때문에.

"해준이? 일찍 일어났구나."

"뭐, 뭐야…? 왜, 연이가 누워 있어…?"

"아- 설명하자면 좀 긴데. 그래도 우린 친구니까 해준이는 살려두려고."

해준이 목격한 광경은 처참하기 그지없었다. 강민의 손에 들려

있는 단도에는 미처 다 식지 못한 피가 뚝뚝 떨어져 바닥에 원을 만들고 있었으며, 그런 피의 주인은 바닥에 쓰러져 하얀

눈을 붉게 만들고 있었으니. 해준의 눈에도 눈물이 뚝뚝 떨어지기 시작하였다. 해준은 손을 덜덜 떨며 연의 상태를 확인했다.
연아, 이연, 해준이 아무리 불러봐도 이미 녹은 눈사람은

말이 없었다. 강민은 소름 끼치는 미소를 지으며 칼날을 매만졌다. 해준 자신은 강민이 조금 더 능숙하게 살인을 하게 되면 편안히 보내주겠다면서. 해준은 두려움을 무릅쓰고 이제 시린 눈처럼 차가워져 버린 연의 손을 꼭 붙잡으며 강민을 바라보았다. 강민의 뺨에 튄 혈흔은 해준이 그간 생각해오던 강민의 인상을 뒤바꾸어 주었다. 친절했으며 상냥했고, 잘 웃었으며 좋은

말만 하던 강민이 이제는 피범벅이 되어 저에게 다가오고 있었다. 아니, 어쩌면 '이제는'이 아니라 '이제야' 알아낸 것일지도 모른다. 해준은.

"해준아, 잠깐만 기다려 봐. 나 손 좀 씻고 올게. 아유, 피가 뭐 이렇게 많이 튀냐."

"… 너 지금 그게 네가 할 소리야? 연이, 연이 왜 죽였어!"

"어머, 해준아. 내가 죽였다고? 무슨 소리야. 연이는 혼자 죽은 거야. 부모를 잃은 상실감에 빠져! 혼자!"

"미친 소리 하지 마!"

"너야말로 미친 소리 하지 마. 내가 죽였다고? 그럼 그렇게 말해 봐. 그랬다가 앞으로 어떻게 되려는지 궁금하다면."

강민은 칼을 매만지며 나지막이 속삭였다. 짙고 부드러운 목소리, 하지만 이제는 듣기 거북할 뿐인 목소리였다. 해준은 저렇게 사소한 유혹 하나만으로 맥없이 이끌려 간 과거의 자신이 죽도록 미웠다. 연이 계속 이 집안을 나가자 할 때 같이 나갈걸. 아니, 어쩌면 강민을 만난 첫날부터 잘못된 건 아닐까 하는 온갖 잡생각들이 머릿속을 부유했다.

해준은 가식적인 미소를 짓는 강민이 더는 착해 보이지 않았다. 해준의 눈물로 젖은 뺨이 바람 한 점에 얼어버렸다. 또한 강민의 사탕발린 소리로 녹아있던 해준의 마음이 얼어붙기 시작했다. 해준은 울부짖었다. 아니, 그럴 수도 없었다. 연이 그동안 저에게 해오던 말들이 뿌린 씨앗의 결과가 이것이었기 때문에. 연은 나 때문에 죽은 것이다, 해준은 그 어리석은 생각에 빠져 또다시 허우적대고 있었다.

아직 연을 보내지 못해 슬픔과 상실감에 빠져 겨울을 이겨내지 못하는 해준의 앞으로 수십

개의 그림자가 등장했다. 해준이 천천히 고개를 들어 올려 마주한 그림자의 주인은 어느새 말끔히 정리하고 온 강민이었다. 그리고 그 뒤로 자리한 사람들은 황씨 가문의 기둥들, 즉

강민의 아버지와 어머니 그리고 그의 형제들이었다.

"아버지! 여기에요!"

"가, 강민?"

"해준아, 괜찮아?"

"너, 네가 할 말은 아니잖……."

아버지, 해준이가 많이 힘든가 봐요. 해준이 무어라 말하려다 곧바로 고개와 함께 말을 돌려버리는 강민은 방금 사람을 죽인 사람이라고는 믿기 힘들었다. 차가운 눈바닥에 싸늘하게 식은 연을 진심으로 걱정하고 안타까워하는 표정, 눈가에 살짝 고인 눈물은 해준의 등골을 오싹하게 할 정도였다. 하지만 그런 해준의 희망을 더욱 짓밟아버리는 인물은 강민이 아니었다.

바로 황 씨 가문의 어른들이었다.

이게 무슨 일이람, 그러게, 시골 거지들은 왜 데려와서, 불길하다니까 등. 하나둘씩 들려오는 불평불만인 목소리. 그 소리가 해준의 귀에 콕콕 박혀 더욱 가슴을 저리도록 조였다.

해준의 눈에서 끊임없이 눈물이 흘렀다. 그 눈물 속에는 연에 대한 그리움과 미안함, 그리고 강민에 대한 증오와 복수심이 함께 흘렀다. 그런 해준의 어깨를 움켜 안으며 또 다시 연극을 시작하는 강민. 그날 어깨를 잡은 강민의 손아귀 힘은 강했다. 어깨가 부러질 정도로.

"살인 사건이 일어난 곳이 여기 맞나요?"

"네, 여기요!"

어느새 찾아온 포졸들이 연이 죽은 그 자리에 있던 해준과 강민에게 질문했다. 강민은 아무것도 모른다고만 대답했고, 해준은 아무 말도 못 한 채 그저 고개를 푹 숙이고 있었다.

해준은 생각했다. 내가 여기서 무언가를 한다 한들 바뀌는 것이 있을까. 황강민, 이 자식이라면 내 의견 하나 쯤 묵살시키는 건 일도 아닐 텐데. 해준은 파도에 삼켜져 깊은

숨을 들이쉬는 것만 같았다. 그런데 아무 말도 안 하고 고개를 숙이고 있던 게 거슬렸는지 포졸들은 해준을 콕 집어 물었다.

"넌 뭐 본 거 없니?"

"아……."

뒤늦게 고개를 올려 포졸 아저씨의 얼굴을 보니 해준은 다시 눈물이 왈칵 차오를 것 같았다. 해준이 입을 벌리려던 그때, 강민이 해준을 부드럽게 쳐다보았다. 마치 첫날, 해준을 홀릴 때와 같은 미소로. 그러고는 나지막이 읊조렸다. 해준이 닭살이 돋아 아무것도 할 수 없을 정도로.

"우리 친구지?"

"……."

고막을 파고드는 날카로운 협박에 해준의 표정이 급격히 굳어갔다. 진실을 말하면 너 또한 그 진실에 파묻힐 것이라는 무서운 협박. 해준을 꼭 감싸 안은 강민의 힘이 점점 강해졌다.

해준은 올라가지 않는 입꼬리를 올려 금방이라도 울 것 같은 눈매로 웃어 보였다. 덜덜 떨리는 안면 근육에 침을 꼴깍 삼키고는 살기 위해 침묵했다. 그날은 유독 바람이 시린 날이었다.

05. 그해 그 겨울 그 눈사람은 녹았다.

너를 사랑하지 않는다.

강다준

눈이 휘몰아친다. 살을 에는 듯한 바람이 파고들어 여린 피부에 생채기를 낸다. 한겨울의 눈보라는 쓰라리다. 입에 문 담배에서 잿가루가 떨어진다. 눈 위로 소복이 쌓이는 잿가루는 눈을 녹인다. 나는 못 녹이는 눈을 잿가루는 너무 쉽게 녹여버린다. 그리고 저도 녹는다. 자폭이다. 같이 사라져 버린다. 흔적도 남지 않도록. 하아, 내뱉는 숨결을 빼앗아 가는 듯 꽁꽁 얼어 붙는다. 목구멍에서부터 올라오는 서린 김이 억지로 내게서 벗어난다. 인어공주가 목소리를 빼앗길 때 이런 기분이었을까.

독하기만 하다. 콜록. 기침이 샌다. 너는 이딴 게 뭐가 좋아서 그렇게 펴 댔을까. 미간을 찌푸린다. 그 새로 흘러내리는 눈물방울이 차다. 지나간 자리를 스치는 바람이 더 차다. 든 자리는 몰라도 난 자 리는 안다더니, 꼭 너를 두고 하는 말이다. 스읍, 숨을 들이켠다. 찬 공기와 섞여 들어오는 연기가 폐를 장악한다. 눈물이 핑 돈다. 짜증 나게도 네가 생각나는 날이다. 후, 손끝으로 담배를 쳐낸다. 바람에 휘날리는 담뱃재가 공기 중으로 흩어진다. 꺼지지 않은 불씨가 바닥으로 향한다. 네가 생각나기는 하지만 미련이 남은 건 아니다. 나를 먼저 떠난 건 너고, 나는 그런 너를 붙잡지 않았다. 네가 나를 사랑하지 않았으니 그런 것뿐이다. 그러니까 나도. 나도 그렇다.

나는 너를 사랑하지 않는다.

***

4년 전 겨울이었다. 너를 처음 만난 건 새 학기가 시작하기 전이었다. 쌀쌀한 겨울날. 눈이 내리지는 않았지만, 바닥에 눈은 쌓여 있었다. 손이 시린 날이었다. 평소처럼 걷고 있던 거리에 골목에서 우연히 널 마주쳤다. 첫눈에 반했다는 그런 진부한 말은 아니었지만, 생긴 거랑 하는 행동이랑 따로 노는 네 모습은 신경 쓰일 수밖에 없었다. 피어싱 몇 개를 한 건지 온통 쇠구슬로 박혀 있는 귀, 다 풀어 헤치다 못해 명찰과 넥타이는 어디로 갔는지 영문 모를 교복, 대충 구겨 신고 있는 슬리퍼, 가방에는 든 것도 없어 휑하니 열려 있는 지퍼, 사납게 죽 찢어진 눈매에 부드러운 웃음. 그 웃음이 신경 쓰였다. 갸르릉 거리며 네 손끝에서 재롱을 부리고 있는 고양이. 너는 웃는 얼굴로 고양이를 쓰다듬고 있었다. 나중에 그 아이가 찾아오면… 부탁해. 뭐라고 말하는 건지 잘 들리지는 않았다. 그때 내 눈에 보이는 건 오로지 고양이뿐이었다. 배를 발라당 까뒤집고 바닥 위에서 굴러다니고 있는 모습은 너를 신뢰하기에 나오는 행동이었다. 동물에게 신뢰받고 있다는 건 착하다는 증거였다.

그래서 네가 궁금해졌다. 나는 받고 싶어도 받지 못하는 동물의 신뢰, 그걸 빌미로 네게 다가갔다. 성큼, 한 걸음 내딛자 고양이는 낯선 인기척을 느꼈는지 하악 거리더니 도망쳤다.

너는 아쉽다는 듯 짧게 아, 하는 소리를 내었다.

그리고선 나를 돌아보는 너의 시선에 잠시 몸이 움찔거렸다. 네 시선이 닿은 곳마다 뜨겁게 달아오르는 기분. 왜 그랬는지는 나도 모르겠다. 그냥 그런 기분이 들었다. 너는 위아래로 나를 훑어보더니 웃음기가 싹 가신 얼굴로 일어섰다. 지금 너를 놓치면 어디서 다시 볼 수 있을지 알 수 없었다. 용기를 냈다. 쓸데없는 용기였다. 한겨울. 그 말에 너는 나를 돌아보았다. 너와 눈을 똑바로 마주쳤다. 허공에서 얽히는 시선이 진득했다.

"내 이름이야."

너는 잠시 나를 바라보았다. 살짝 내린 시야, 벌어진 입술, 바람에 흩날리는 앞머리, 그 바람을 타고 내게 닿는 담배 섞인 섬유유연제 향까지. 모든 것이 간질거렸다. 첫사랑의 시작을 알리듯, 조금은 서툴고 낯선 그런 것들. 그것들이 간질거리며 나를 건드렸다. 두근거리는 심장 박동은 조금씩 엇나가기 시작했다. 점점 빨라지는 박자, 적막을 채울 것만 같았던 심장 소리는 네 목소리에 묻혔다. … 네가 이렇게 생겼었나. 잘못 들었나 싶어 고개를 갸웃거렸다. 너는 아무 말도 하지 않았다는 듯 나를 물끄러미 쳐다볼 뿐이었다. 백서준. 너는 그러고 돌아서서 가버렸다. 아무런 미련도 없다는 듯 그 자리에는 네 섬유유연제 향만 남아있었다. 나는 그런 네 뒷모습이 보이지 않을 때까지 멍하니 쳐다봤다. 이윽고 네가 완전히 보이지 않게 되자 그 자리에 쪼그려 앉아 얼굴을 붉혔다. 백서준, 백서준. 네 이름을 몇 번 되뇌었다. 살짝 올라간 입꼬리는 모르는 체했다. 이런 게 첫사랑일 리가 없었다. 이런 게 첫사랑이었다면 나는 첫사랑을 스무 번은 더 했을 터였다. 그러니까 나는 너를 사랑하지 않았다.

나는 너를 사랑하지 않는다. 봄이었다. 너와 다시 만난 건 쌀쌀한 겨울이 가고 봄이 찾아올 무렵이었다. 꽃샘추위 때문에 아직은 한기가 느껴지는 날. 고등학교 생활의 끝자락, 고 삼의 새 학기였다. 다시 만난 너는 그때와 별반 다를 게 없었다. 골목 안쪽에서 풍겨오는 담배 향. 평소라면 눈살을 찌푸리고 그냥 지나쳤겠지만, 그날은 왠지 달랐다. 살금살금 골목길로 들어섰다. 담배 향이 더 진해졌다. 기침이 나올 것 같았지만 꾹 참으며 발을 내디뎠다. 커브를 돌자 네가 보였다. 백서준. 얼굴만 빼꼼

내민 채 너를 쳐다보았다. 너는 내가 왔는지 모르는 눈치였다. 그저 눈을 살짝 내리깐 채 숨을 들이켰다. 담배 연기가

네 모든 구멍에서 퍼졌다. 하아, 무거운 숨이었다. 꼭 담배가 섞여서만은 아니고, 그 숨을 내뱉는 너의 표정이 무거웠다. 너는 반도 채 타지 않은 장초를 지져 끄더니 바닥에 아무렇게나

널브러져 있는 가방을 주워들었다. 이쪽으로 시선을 들어 올리는 너에 깜짝 놀라 후다닥 그 자리를 벗어났다. 두근거리던 심장은 아마 놀라서였거나 갑자기 달려서 그랬을 것이다. 붉어

진 얼굴은 그냥, 더워서. 그래서 찬 공기로 볼을 식혔다. 추웠다.

"어?"

바보 같은 소리를 냈다. 네가 내 눈앞에 있다는 사실에 사고 회로가 고장 났던 것 같다. 눈을 비벼보기도 했고, 볼을 꼬집어보기도 했다. 네가 있다는 사실은 변하지 않았다.

너는 창밖을 바라보고 있던 시선을 돌려 나를 네 눈에 담았다. 눈이 마주친 순간 흠칫 떨려오는 몸에 재빠르게 고개를 돌렸다. 너는 피식 웃음을 흘리며 턱짓했다. 안 앉아? 홀린 듯 네 옆자리에 앉은 그때의 나는 도대체 무슨 생각이었을까. 그저 너와 함께할 수 있었다는 것에 설렜을까. 철없는 어린 시절의 나는 참으로 바보 같았다. 처음 만났던 때와는 달리 조금 더 상냥한, 부드러운 미소를 머금고 있었다. 얼핏 보면 그저 무표정으로 보일 수도 있었겠지만 나는 알 수 있었다. 처음 보았을 때도, 그 다음에 보았을 때도 무표정이었지만 그때는 달랐다. 미세하게 올라간 입꼬리와 기분 좋은 듯 살짝 새어 나오는 흥, 살짝 내리 깔렸으나 무거운 기분을 풍기고 있지 않은 눈썹. 본 지 얼마나 됐다고 네 이런 걸 알고 있는 건지는 알 수 없었지만 그랬다. 본능적으로 느낄 수 있었다. 마치 오래된 연인과 재회한 듯 네 모습이 낯설면서도 익숙했다.

"한겨울, 맞지?"

"어, 으응."

퍼뜩 놀랐다. 살짝 떨며 너를 휙 돌아보았다. 허공을 가로지르는 머리카락이 네 살결을 스치고 지나갔다. 익숙하다는 듯 내 이름을 입에 담는 너, 그리고 그런 네 입에서 내 이름이 나오는 게 익숙한 것 같은 나. 이상했다. 다 이상했다. 또 바보 같이 대답했다. 너는 그게 웃겼는지 그저 쿡쿡 웃을 뿐이었다. 햇살이 들어서 그랬을까, 추운 겨울이 녹는 것만 같은 웃음이었다.

내 겨울을 녹여줄 너, 내게 봄을 가져다줄 너.

네가 그런 존재가 되기를 바랐다. 그때는 그랬다.

그래, 그것마저도 철없는 어린 내가 한 쓸데없는 망상이었다. 너를 사랑하지 말았어야 했다. 한겨울. 겨울아. 경아. 네가 나를 부르는 목소리에 익숙한 듯 고개를 돌렸다. 미소 지은 채 손을 흔들며 다가오는 네 모습이 내 시야를 꽉 채울 만큼 점점 커졌다. 나도 한 걸음 성큼 다가서 네 앞으로 갔다. 너는 나를 경이라고 불렀다. 그게 언제였는지는 자세히 기억나지 않는다. 그냥 언젠가부터 너는 물 흐르듯 자연스럽게 나를 경이라고 칭했다. 나도 네가 경이라 부르는 게 익숙했다. 둘만의 애칭인 것 같아 좋았다. 나는 너를 뭐라 부를까 묻자 네게 돌아오는 대답은 지극히 당연하다는 듯한 어투였다. 준. 여름이었다. 해가 쨍쨍하게 내리쬐는 여름날. 땀을 뻘뻘 흘리며 그늘에 앉아 너를 기다렸다. 미간을 찌푸린 채로 고개를 들어 하늘을 쳐다보았다. 이글거리는 태양이 나를 비추고 있었다. 너와 더 가까워졌다. 모르는 사이에서 친구로, 친구에서 연인으로. 네가 마음을 고백했을 때 내 감정은 봄에서 여름으로 넘어가듯 뜨겁게 타올랐다. 저 멀리서 아이스크림을 가지고 달려오는 네가 보였다. 살짝 녹아 네 손에 닿을락 말락 한 아이스크림. 엉덩이를 떼어 일어섰다. 네게 손을 뻗자 너는 피식 웃으며 네 볼을 내 손바닥에 대었다. 땀에 젖은 볼이 닿았다. 네가 건네는 아이스크림을 받아 한입 크게 베어 물었다. 차가우면서 달콤한 감각이 입 안 가득히 퍼졌다. 입꼬리가 절로 올라가는 맛이었다. 그런 나를 보며 너는 피식 웃더니 내 뒤에서 불쑥 얼굴을 내밀었다.

그러고는 내 아이스크림을 훔쳐 먹는 것이 아주 당당했다. 너무 당당해서 훔쳐 먹었다는 표현이 어색할 정도였다. 입가에 묻은 크림을 닦아내며 씩 웃는데 차마 뭐라 할 수 없었다. 맛있다며 제 아이스크림도 내미는 너를 살짝 노려보았다. 너는 아무것도 모르는 어린아이처럼 싱긋 웃고 있을 뿐이었다. 왠지 또 나만 당하는 느낌에 네 아이스크림 반을 먹어 치웠다. 너는 두 눈을 동그랗게 뜨다 푸핫, 하며 웃음을 흘렸다. 아하하. 공기 중으로 퍼지는 네 웃음소리에 얼굴이 붉어졌다. 아마 더워서 그랬을 것이다. 네가 웃어서 부끄러운 게 아니라, 여름날의 태양이 너무 뜨거워서.

"…왜 웃어."

"귀여워서."

통명스럽게 묻는 말에도 그저 웃던 너. 그런 네가 좋았다. 네 웃음이 좋았고, 나와 만나고부터 옅어진 담배 향도 좋았고, 그보다 짙은 섬유유연제 향도 좋았다. 나에게는 유독 깊게 웃어 주는 눈꼬리도, 평소보다 조금 더 올라가는 입꼬리도, 들뜬 듯 올라간 목소리 톤도, 가벼워 보이는 발걸음도 모두. 그 모든 게 나를 향해 있다는 걸 알아서 좋았다. 그뿐이었다. 좋아해 같은 감정은 누구나 오갈 수 있는 감정이니까.

"좋아해."

"나도."

내가 말하고 네가 대답하는 입장이었대도, 너에게 제대로 된 애정 표현을 들어본 적 없다고 해도 괜찮았다. 그때의 너는 온몸

75

으로 나를 사랑한다고 하고 있었으니, 그걸로 됐다고 생각했다. 맞잡은 손에서 전해지는 온기가, 안심시키듯 세게 쥐어진 악력이, 나를 바라보는 사랑처럼 끈적한 시선이, 맞춰 걷는 발걸음이, 걱정 어린 목소리 모두. 그 모든 것이 아직도 생생하다. 당장 어젯밤 일처럼 너무나도 생생해서, 그래서 자꾸만 눈물이 흐른다. 나는 너를 사랑하지 않는데, 왜 자꾸 나는 너를 사랑하는 것처럼 행동할까. 의문을 가지고

내게 질문을 던져봐도 돌아오는 대답은 없다. 대답해 줄이 없다. 볼을 촉촉하게 적신 눈물이 길을 만든다. 그 길을 막으려 손을 뻗지만, 허공에서 멈춘다. 네가 닦아주기를 기다리는 것만 같다. 이제 너는 더 이상 내 곁에 없는데도, 그걸 알고 있는데도 나는 멍청하게 너를 기다리는 것처럼 군다. 어리석다. 여름에 취한 거였을지도 모른다. 더위를 먹어서 그랬을지도 모른다. 그러고 보니 어지러웠던 것 같기도 하다. 4년 전 내가 그때의 나 같지 않았던 건, 네 입가에 아직 묻어있는 아이스크림을 닦아낸 건, 네 셔츠 깃을 잡아당겨 입을 맞췄던 건. 그저 한순간의 충동이었을 뿐이다. 절대 너를 사랑해서 한 행동이 아니다. 가을이었다. 낙엽이 지고 단풍으로 물든 가을. 세상이 붉게 변했다. 그리고 그 단풍의 향연 사이에 우리가 있었다. 너와 나. 나는 앞서 걸으며 뒤를 돌아보았다. 너는 내 뒤를 따랐다. 처음 너를 만났을 때보다 조금 길어진 머리가 허공을 가로질렀다. 단풍이 내 머리 위에 내려앉았다. 엉킨 머리를 정리하며 귀 뒤로 넘겼다. 너는 손을 뻗어 나를 도와주었다.

네 손길이 닿을 때마다 실 가닥 풀리듯 흘러내리는 머리카락이 간질거렸다. 너는 붉게 물든 단풍을 떼어내고서는 싱긋 미소 지었다. 내 얼굴이 단풍처럼 물들었다. 조금 가까워진 거리. 그 사이에서 내 시선은 바닥을 향했다. 두근거리는 심장 소리가 네게 들릴까 조금은 겁이 났다. 살짝 달아오른 귀, 조금 가빠진 숨, 선선히 불어오는 바람. 그 바람을 타고 섬유유연제 향이 내게 닿았다. 익숙한 향.

"섬유유연제 바꿨어?"

"응, 익숙하지?"

"내가 쓰는 거잖아."

"응."

그래서 별로야? 내 볼을 살며시 쓰다듬는 손길에 살결이 떨렸다. 별로라고는… 안 했는데. 점점 작아지는 목소리. 그에 너는 또 피식. 날 만나고부터는 웃을 일이 뭐가 그리도 많은 건지 맨날 웃기만 했다. 쪽. 짧게 입을 맞추고 떨어졌다. 툴툴거리자 너는 밝게 웃으며 내 손을 맞잡았다. 이럴 시간도 부족하다며 나를 이리저리 끌고 다녔다. 뭐가 부족하다는 건지 알 수 없었다. 우리는 아직 학생이었고, 무슨 일이 없는 한 지금까지 살아온 날보다 함께할 날이 더 많을 텐데.

그건 그저 내 희망 사항이었을 뿐이었다. 함께할 수 있기를 바랐다. 그리고 그 바람은 물거품이 되어 사라졌다. 애초에 들어주지 않을 거였다면 바라게나 만들지 말지.

너는 꼭 내 아픈 가슴을 찌른다. 너는 내 인생 최악의 실수다.

그건 지금까지도 유효하다. 차라리 너를 만나지

않았더라면 같은 말을 하루에도 수십 번 왼다. 그리고 그 상상은 끝까지 가지 못한다. 네가 없는 내 고 삼의 생활은 텅 빈 암흑이다. 너는 내 빛이었고, 그 빛을 꺼트린 어둠이다. 너에게 물은 적이 있다. 갑자기 섬유유연제 향을 바꾼 이유가 뭐냐고. 너에게서 돌아오는 대답은 두루뭉술했다. 그래야 나를 대신할 수 있다고 했다. 내 향과 같아야지 눈먼 저승사자들이 알아보지 못한다고. 내 운명을 대신하려면 앞으로 더 많은 것을 바꿔야 한다고. 내가 멍하니 바라보자 너는 피식 웃으며 내 머리 위에 손을 얹었다. 알아듣지 못해도 괜찮다며 나를 다독였다. 알아들을 수 없었다. 그리고 그 말은 여전히 이해하지 못한다. 아니, 알고 있는데 이해하고 싶지 않은 걸지도 모른다. 여전히 풀리지 않은 미스터리다. 그러니 네가 와서 답을 알려주면 좋겠는데, 너는 나타나지 않는다. 가끔 나는 이렇게 네 생각을 한다. 그럴 때면 네가 나타나 나를 안아줄 것만 같다. 뒤에서 살금살금 나타나 나를 꼭 껴안아 주던 온기가 그립다. 없다. 그 온기는 이제 없다. 네가 속한 계절은 봄이고, 내가 속한 계절은 겨울이다. 내게는 겨울뿐이다. 봄도, 너도 내게는 없다. 내가 겨울에 머물 때면 너는 내 손을 붙잡고 봄으로 데려가고는 했다. 그러면 나도 꽃샘추위를 명목 삼아 네 봄을 느꼈다. 네 봄은 따스했다. 생명들이 살아나고, 생기가 돌고, 웃음이 지어지는 봄이었다. 언제였더라. 비 오는 날이었다. 추적추적 비가 내려 내 기분마저 나빠지는 그런 날.

평소 비 오는 날을 싫어하는 편은 아니었는데 그날은 유독 기분 나빴다. 네가 밖에 나가지 말라고 한 날이기도

했다. 온몸에 소름이 끼치고 기분이 추락해 웅덩이에 빠진 느낌. 그 밑바닥은 늪이어서 끈적하게 나를 집어삼키는 것 같았다. 내가 벗어나려 발버둥 칠수록 더 비참하고도 고통스럽게 숨통을 점점 옥죄는 듯. 마치 죽음을 형상화하면 이런 느낌이 아닐까 싶었다. 멍하니 창밖에 내리는 비를 바라보았다. 홀리는 것 같았다. 정신이 몽롱해지고 빨려드는 느낌이었다. 나가고 싶다고 생각했던 것 같기도 하다. 창문에 손을 대고 밖에 모이는 웅덩이를 물끄러미 바라보고 있는데 네게 전화가 왔다. 그제야 퍼뜩 정신을 차리고 전화를 받았다.

"여보세요?"

전화 너머에서 네 목소리가 잘 들리지 않았다. 폭우처럼 쏟아져 내리는 빗소리와 웅덩이를 밟고 지나가는 차 소리, 무단횡단하는 사람을 향한 경적, 찰박거리며 젖어 드는 신발 소리, 여

러 사람의 엉킨 목소리. 절로 미간이 찌푸려졌다. 무슨 일이냐고, 잘 들리지 않는다고 되묻는 목소리에 경적이 한번 지나가더니 네가 뒷이야기를 이었다.

'…나올 생각 하지 말라고.'

"내가 왜 나가, 이런 날씨에. 너 아까부터 좀 이상해."

'그러게, 그럴 리가 없는데 말이지. … 없어야 하는 거였는데.'

전화 너머의 네가 피식거리며 웃었다. 슬픔이 서린 웃음이었다. 이상한 소리 하지 말라 타박하려 했지만, 전화 너머 들리는 네

물기 젖은 목소리에 차마 입이 떨어지지 않았다. 그저 너를 다독이고 전화를 끊는 수밖에 없었다. 끊고 나서도 멍하니 창밖을 바라보았다. 아까와 같이 나가야 하는 기분은 들지 않았다. 웅덩이에 물방울이 떨어지는 것을 물끄러미 바라보다 몸을 돌렸다.그날 저녁 뉴스를 봤다. 내가 평소 다니던 거리에서 차량 세 대가 연속 충돌을 일으켰다는 것. 사망 두 명, 중상한 명, 부상 다섯 명. 등골이 서늘했다. 만약 내가 그날 밖에 나갔더라면, 평소와 같이 그 거리를 걸었더라면 죽었을 수도 있지 않았을까. 그 생각을 하면 여전히 오싹한 기분에 마른침을 삼키고는 한다. 약간 흐르는 식은땀과 가빠오는 숨은 내가 긴장한 걸 느끼게 해준다. 생각해 보면 한두 번이 아니었다. 네가 이런 식으로 알게 모르게 나를 살린 일이. 평소 하교하던 길이 아닌 다른 길로 걷자던 너. 나와 더 오래 같이 있고 싶다는 말이었다. 피곤해서 집에 빨리 가고 싶었지만 네가 그런 말을 하니 차마 거절할 수 없었다. 지금 보면 너는 이것마저도 예상했던 것 같다. 내가 너를 사랑하게 된다면, 너를 쉽사리 거절하지 못할 것이라는걸. 그렇게 우리가 오랜만에 산책로로 빙 둘러서 간 날, 연쇄살인범이 하굣길을 덮쳤다. 피해자는 총 다섯 명, 모두 여자였다. 전원 사망이라는 암담한 결말. 또 뭐가 있었더라. 그래, 부모님이 집을 비웠던 날이었다. 3박 4일 여행으로 혼자 집에 있어야 했던 이튿날 밤. 네가 나를 너희 집으로 불러냈다. 같이 자자는 말. 처음에는 놀랐지만 정말 잠만 자는 너에 조금은 안심했다. 그날 밤 잠든 너를 보며 생각했다.

너는 왜 이렇게 나에게 잘해주는 걸까. 만난 지 얼마나 됐다고. 나를 얼마나 좋아한다고. 혼자 자는 내가 무서울까 걱정돼 불러줬다고 했다. 맛있는 것도 같이 먹고, 밤늦게까지 수다도 떨었다. 재밌는 시간이었다. 그날은 지금이 돼서도 내 학창 시절 가장 소중한 추억 중 하나다. 우리 집에 강도가 들었다. 내가 너와 저녁을 먹고 있을 때 강도는 우리 집 문을 땄고, 너와

게임을 하고 있을 때 우리 집을 뒤졌고, 너와 수다를 떨고 있을 때 우리 집을 부쉈다. 유리 깨지는 소리와 가구들이 부서지는 소리에 옆집이 신고했다. 범인은 잡혔지만, 그때의 기억을

잊을 수 없었다. 다른 일들은 모르겠으나 그날, 강도가 우리 집에 왔다는 것은 내가 절대 피할 수 없었던 상황이라는 말이기도 하다. 그리고 너는 또 그런 상황에서 나를 구했다. 우연이

라고 생각해도 위험마다 나를 구해주는 너를 보며 의문이 생기는 건 어쩔 수 없었다. 너는 도대체 누구일까?

또다시 겨울이었다. 새하얀 눈이 소복이 내려 땅을 뒤덮었다. 잡티 하나 없는 새하얀 눈 위로 나와 네 발자국이 겹쳤다. 목을 덮은 목도리와 손을 감싼 장갑. 서로의 온기가 아닌 다른 온기를 느꼈지만, 그것도 좋았다. 너와 함께하고 있다는 사실이 그저 좋았다. 웃음이 나왔다. 너와 손을 맞잡고 거리를 걸었다. 너는 내가 조잘조잘 이야기하는 것들을 묵묵히 들었다. 가끔은 웃어주기도 하고, 가끔은 화내주기도 하며 내 이야기에 경청했다. 그런 네 모습이 좋았다. 사랑스러웠다. 그때는 그랬다. 네 손짓, 말투, 표정, 버릇 하나하나가 모두 사랑스러웠던 시절이 있었다.

그 시절은 겨울날의 서린 칼날 같은 바람에 날려 사라졌다. 그 날의 기억들은 아직도 남아 가끔 나를 괴롭히지만, 네 손짓, 말투, 표정, 버릇 하나하나가 생생히 떠오르게 만들지만 괜찮다. 괜찮아야 한다. 그래야 내가 버틸 수 있다. 네가 없는 이곳에서 버티려면 아무렇지 않아야 한다.

"준아."

아마 목소리가 살짝 떨렸던 것 같다.

"나 떠나지 마."

매달렸던 것 같기도 하다.

"응, 안 떠나."

"약속해."

붙잡고 싶었나.

"약속."

"어기면 죽여버릴 거야."

믿고 싶었다.

"응, 죽여도 돼."

손가락을 건 채 피식 웃음을 흘리던 네 모습이 아직도 선명하다. 살짝 내리깔린 눈과 왠지 모르게 물기 젖은 목소리. 너는 왜 나를 떠났을까. 철없는 어린 날의 약속을 지킬 정도로 내가 소중하지 않았던 걸까. 새끼를 걸고 약속했다. 도장도 찍었고, 복사도 했고, 코팅도 했다. 너는 지키지 않았다. 너는 너무나도 쉽게 나를 두고 떠나버렸다. 처음부터 내 모든 걸 줄 정도로 너를 좋아했던 건 아니었지만 점점 마음을 열어서, 네게 내 곁을 내어줘서 네가 떠났을 때의 상실감은 이루 말할 수 없다. 아직도 너와 함께했던 날이 생생한데 그때는 오죽했겠는가. 네가 밉다. 나를 두고 떠나간 네가 밉다. 너에게 내가 아무런 존재가 아니었다는 걸 증명하는 것만 같아서, 나는 너에게 중요한 존재가 아니었다는 걸 말해주는 것만 같아서 네가 밉다. 약속했으면서, 믿게 했으면서, 기대게 했으면서, 의지하게 했으면서, 좋아하게 했으면서, 그립게 했으면서 그토록 쉽게 떠나버린 네가 밉다. 너를 사랑하게 했으면서 나를 떠난 네가 밉다. 겨울의 끝자락이었다. 봄과 겨울의 사이, 누가 이기는지 최후를 두고 싸우는 시기. 이른바 꽃샘추위였다. 우리는 같이 살았다. 부모님이 돌아가신 네가 월세를 감당하기 힘들어서였다. 내 부모님도 네가 나를 구해준 게 한두 번이 아니다 보니 허락해줬다. 나는 대학에 갔고, 너는 취직을 했다. 그러려고 했다. 평소와 같은 날이었다. 눈이 오던 날. 갑작스러운 폭설을 피하지 못하고 집으로 도망치듯 달려왔다. 방학. 학원에서 돌아오는 늦은 시각이었다. 9시쯤 됐던 것 같다. 피곤과 눈에 젖은 몸을 이끌고 집에 들어왔다. 나 왔어. 신발을 벗으며 말을 내뱉었다. 돌아오는 대답은 없었다.

"……?"

이상하다는 것을 느꼈다. 적막으로 가득 싸인 집. 사람의 온기라고는 없었다. 직감적으로 느낄 수 있었기에 더 믿고 싶지 않았다. 신발을 제대로 벗지도 못한 채 집으로 발을 디뎠다. 서준아, 백서준! 뭔가에 홀린 듯 네 이름을 불렀다. 있는 방을 모

두 뒤졌다. 화장실, 심지어는

세탁기 안까지 뒤졌다. 너는 없었다. 그 어디에도 네가 없었다. 마치 처음부터 없던 사람인 마

냥 네 짐도 모두. 전화를 걸었다. 너는 받지 않았다. 없는 번호라고 떴다. 입술을 깨물었다. 비린 맛이 입에 맴돌았다. 지끈거리는 머리를 부여잡으며 그 자리에 주저앉았다. 너는 어디 간 걸까. 나를 온통 너로 물들여놓고 너는 어디로 사라져 버린 걸까. 비척거리며 너와 함께 앉았던 침대 위로 갔다. 옆 서랍에 무언가 있었다. 쪽지였다. 네가 남긴 쪽지. 급하게 쪽지를 들여다보았다. 쪽지를 보고 나서는 눈물을 흘리며 너를 원망할 수밖에 없었다. 나쁜 놈. 못된 놈. 결국 너는 나를 사랑하지 않았던 거지. 내게 진심이 아니었던 거지. 졸업할 때가 되니 내 도움은 필요 없다며 나가버린 거지. 어째서 인사 한마디 없이 나갔을까. 내가 알던 너는 그런 사람이 아니었다. 그런데 왜, 너는

도대체 왜 그랬던 걸까. 너를 알고 지낸 1년이 모두 헛된 것인 듯 느껴졌다. 신기루처럼 사라진 네가 그저 원망스러웠다. 눈물을 뚝뚝 흘리며 너를 저주했다. 너는 행복하지 말라고, 나를

떠나서 비참해지라고, 죽을 듯이 아파하라고. 네가 남긴 쪽지 그대로 살아줄 테니, 너는 내가 원하는 대로 살라고. 네가 남긴 말은 아무것도 아니었다. 내가 너에게 미련 없이 뒤돌 수 있는 잘 지내도, 너와 내가 함께한 시간이 헛된 것이 아니었다는 것을 알려주는 사랑해도 아닌 단순한 한마디. 행복 해줘.

그래서 지금 나는 행복하냐고? 행복하다. 네가 없는 일상을 아주 잘 보내고 있다. 너무 행복해서 돌아버릴 지경으로 잘살고 있다. 네가 없던 3년 따위 내 인생에서 가장 행복했던 나날이라 치부할 수 있다. 정말, 정말 너무 행복해서 이대로 콱 죽어버려도 괜찮을 정도다. 가끔은 너와 함께한 1년이 내게 얼마나 큰 시간인지 느낀다. 3년이나 지났음에도 불쑥 튀어나오는 네 생각도, 너에 맞춰져 있던 내 습관이나 입맛도. 아직 정리하지 못한 갤러리 사진이나 길가에서 가끔 흘러나오는 네가 좋아했던 음악. 홀로 노래방에서 노래를 부르다 보면 문득 네가 좋아했던 노래를 부르고 있고, 내가 좋아하던 네 노래를 부르고 있다. 가끔 거울을 보면 네가 좋아했던 머리를 하고, 네가 좋아했던 옷을 입고, 네가 사준 액세서리를 하고 있다. 이런 3년이 반복되니 미칠 지경이다. 아니, 사실은 이미 미쳤을지도 모른다. 네가 나한테 무슨 짓을 한 건지 모른다. 도대체 무슨 짓을 해야 나를 이렇게 온전히 너로 물들게 할 수 있는 건지, 나는 전혀 알 수 없다. 벗어나려고 노력은 해봤다. 무수히 많은 시도
도 했다. 하나같이 다 헛된 것이었다. 나는 너를 잊을 수 없었고, 없고, 없을 것이다. 이제 그 노력은 내 힘을 갉아먹는 기생충일 뿐이다. 무기력이란 망망대해 위에 멍하니 떠 있는 것 같다. 헤엄쳐도 벗어날 수 없고, 오히려 내 힘을 더 앗아갈 뿐이다. 해가 떠 있으면 쩌 죽을 것 같고, 해가 지면 얼어 죽을 것 같다. 내가 무슨 노력을 해도 자연은 바뀌지 않는다. 내가 있는 위치도 바뀌겠지만 얼마나 더 노력해야 하는지 모른다.

오히려 육지와 더 멀어지고 있을지도 모른다는 것이다. 나는 그런 노력을 하고 싶지 않다. 될지도 모르는 노력으로 쓸데없이 에너지를 낭비하고 싶지 않다.

"또야."

또, 정신을 차려 보니 나는 또 네가 피던 담배를 피우고 있다. 나와 사귀고는 피지 않았지만 처음 맡았던 그 강렬한 향을 아직도 잊지 못한다. 나는 너고, 너는 나다. 고작 1년 만에

우리는 서로에게 그렇게 물들었다. 그리고 나는 여전히 너에게서 벗어나지 못한다. 얼마나 더 많은 시간을 허비해야 할지 알수 없다. 눈이 내린다. 3년 전 네가 떠난 그날 밤처럼, 손을 뻗어 눈을 잡으려 한다. 눈은 잡히지 않는다. 내 체온과 맞닿자마자 빠르게 녹아버려 손 틈새로 흘러가 버린다. 너도 그렇다. 너도 그랬다. 내가 붙잡을 새도 없이 떠나버렸다. 너를 붙잡을 수 없다는 걸 이미 알고 있으면서도 이 눈처럼 자꾸만 붙잡으려 한다. 시도에 시도를 거듭하고 실패하고 포기하고 쓰러지고를 반

복한다. 지칠 만도 한데 아니, 이미 지쳤는데 네가 없는 게 더 지쳐서 차마 놓을 수가 없다. 하아. 한숨을 내뱉는다. 너도 이렇게 쉽게 내뱉고 싶다. 내게서 떠난 숨은 공기 중으로 흘러

가 얼어붙는다. 한겨울의 한숨은 마치 내 숨결을 빼앗는 것만 같다. 내 목을 단단히 옥죄어

생명을 뽑아내는 것만 같다. 너로 인해 생명을 얻었던 겨울, 너로 인해 생명을 빼앗긴 겨울.

나는 겨울을 사랑해야 할까, 미워해야 할까?

종종 돌아오지 않는 대답을 던져보고는 한다.

"…가야지."

돛대다. 왠지 늘 돛대는 피기 꺼려진다. 결국 담뱃갑을 주머니에 구겨 넣는다. 발걸음을 옮긴다. 내가 있던 자리에만 깊숙이 발자국이 파여 있다. 당연하게도 네 발자국은 곁에 없다. 발자국은 하나로 시작해 하나로 끝난다. 미련이 남아 뒤를 돌아봐도, 발걸음이 점차 느려져도 발자국이 교차하는 일은 없다. 나 홀로 교차하면 넘어질 테니, 잡아줄 사람도 없으니 넘어지면 안 된다. 결국 또 똑같은 날의 반복이다. 네가 없는 집에 발을 들인다. 여전히 나는 삼 년 전 그날에 머물고 있다. 너와 함께 살았던 집을 차마 버리지 못해 여전히 있다. 네가 쓰던 물건은 네가 가져가 버렸지만, 이곳만큼은 가져갈 수 없으니까. 어찌 보면 사진을 제외한 유일한 추억이다. 아직 치우지 못한 너의 흔적을 쓰다듬는다. 차다. 네 온기 따위는 없다. 괜히 가슴 한편이 아린다. 너무 욱신거려 미간이 찌푸려지고 눈물이 핑 돈다. 네가 도대체 뭐길래 나는 이래야 할까. 소파 위로 몸을 던진다. 폭신하게 나를 감싸는 소파마저 온기는 없다. 네 품이 그립다. 또 네 생각이다. 쓸데없다. 시간 낭비일 뿐이라는 걸 알면서도 머릿속에서는 네 생각이 끊이지 않는다. 입술을 잘근거리며 씹고 비린 맛을 목구멍 뒤로 넘긴다. 다른 고통으로 덮어보려 하지만 너로 인한 고통이 더 크다. 가슴이 뻥 뚫린 것만 같다. 이 커다란 공허함은 이루 말할 수 없다. 멍하니 천장만 올려다본다. 달라진 게 없다. 시간이 갈수록 너에 대한 그리움이

깊어진다. 너는 나타나지 않는다는 걸 뼈저리게 느끼면
서도 변하는 게 없다. 고개를 돌린다. 해가 져버린 창밖은 도시
의 불빛으로 가득하다. 별 같다. 밤하늘보다 더 밤하늘 같다. 밤
하늘에 별들은 도시의 별이 너무 강해 빛을 잃었다. 자리를
빼앗긴다. 대체할 거리가 생긴다. 나한테는 없다. 너를 대체할
수 있는 사람 따위 없다. 있을 수가 없다. 내가 두지 않는다. 문
득 담배로 손을 뻗는다. 너는 이런 걸 왜 폈냐고 타박했는데 이
제는 내가 찾는다. 피식 웃음이 나온다. 웃기지도 않는다. 이런
쓸데없는 것까지 닮아서 어쩌려고. 네가 돌아와서 함께
담배를 피워주는 것도 아닌데 말이다.

"정말…어이없네."

손으로 눈을 가린다. 손으로 하늘을 가릴 수는 없지만 눈은 가
릴 수 있다. 모든 오감을 차단하고 싶다. 나만 있는 공간에서
너를 회상하고 싶다. 그럴 수 없다는 게 안타까울 뿐이다. 깜박,
천천히 무거운 눈을 뜬다. 너의 환상이 아른거리는 듯하다. 손
을 뻗어 너를 어루만진다. 닿지 않는다. 닿으면 사라질까 두려
워 닿을 수 없다. 그저 너의 외각을 따라 손을 움직일 뿐
이다. 네가 내게 다가온다. 여느 날의 입맞춤과 같다. 너는 내
볼 위에 손을 올리고 뒤에 있는 벽을 짚고서는 서서히 내게 다
가온다. 거리가 점점 가까워질수록 심장은 더욱 빠르게 뛴다.
두근거리는 심장이 튀어나와 너와 부딪치면 어쩌지, 같은 헛된
망상을 할 정도로 빠르다.

네가 코앞에서 멈춘다. 너와 눈을 맞춘다. 움직이지 않는 네가 이상하게만 느껴진다. 마치 일시 정지를 한 마냥 어색한 움직임이다.

"…뭐 하는 건지."

나를 떠난 너를 두고 이런 망상을 한다는 것 자체가 어이없다. 한심하다. 우습다. 몸을 일으키려 하는데 네가 나를 뚫어져라 쳐다본다. 그 시선에 또 가슴이 설렌다. 두근두근. 그 작은 떨림에 몸이 굳는다. 너는 깊은 시선으로 나를 쳐다보더니 입을 움직인다. 내 흔적을 찾아줘.

네가 사라진다. 무슨 말인지 알 수 없다. 갑자기 네 흔적을 찾아달라니? 그게 무슨 말일까. 곰곰이 생각해봐도 답은 나오지 않는다. 문득 네가 남긴 쪽지가 생각난다. 너는 늘 내게 명령한 적이 없다. 부탁했다. 무의식이 반영한 너는 기억과 같다. 그런데 자꾸만 신경 쓰인다. 찾아달라는 말, 알 수 없다. 뭘 찾아달라는 걸까. 애초에 내가 널 놓기 싫어 작은 핑계를 둔 건 아닐까. 그래도 상관없다. 지푸라기라도 잡고 싶은 심정이다. 겉옷을 챙겨 밖으로 향한다. 너와 함께했던 모든 기억을 떠올리며 너를 찾는다. 단서를 찾는다. 너를 찾는다. 네가 보고 싶다. 바람이 분다. 매섭고 차가운 바람이 분다. 시리고 날카로운 칼날이 나를 스치고 지나간다. 상처만이 남는다. 호- 하며 뜨거운 숨을 내뱉어 보지만 금세 얼어붙는다. 늘 제자리걸음인 것만 같다. 내가 아무리 노력해봤자 네게는 가까워질 수 없다는 걸 알려주는 것 같다.

그래도 걷는다. 멈추지 않는다. 소복이 쌓인 새하얀 눈을 짓밟고서라도 나아간다. 너를 다시 한 번만

더 만날 수 있다면 이까짓 노력쯤은 아무것도 아니다. 내가 지금껏 버려온 시간에 비하면 정말 개미만도 못한 수고다. 그러니 나는 포기하지 않는다. 죽을힘을 다해 발버둥 친다. 너와의 추억이 잠시라도 있는 장소들을 모두 들린다. 헛웃음이 나온다. 잊었다고 생각했는데 여전히 기억하고 있다. 너와의 소중한 추억 하나도 잊지 않은 채 간직하고 있다. 한 장소

에 들리면 이다음에는 어디를 갔는지, 네가 무슨 말을 했는지, 어떤 표정을 지었는지까지 다 기억난다. 심지어 내가 어떤 대답을 했는지, 어떤 표정을 지었는지까지도. 모든 게 다 선명해

서 눈물이 날 지경이다. 나는 이토록 네가 생생한데, 아직도 너와 함께한 과거에 머물고 있는 너는 도대체 얼마나 먼 미래로 가버린 건지 가늠조차 가지 않는다. 내가 과연 너를 쫓을

수 있을지도. 과거에서 벗어나고 싶어 달린다. 마치 쳇바퀴 위에서 달리는 듯하다. 내가 쳇바퀴에서 벗어나지 않는 한, 더 빨리 달려 쳇바퀴를 틀 위에서 벗어나게 하지 않는 한 내가 움직일 방법 따윈 없다. 쳇바퀴는 너고, 틀은 너와의 추억이다. 둘 다 버리든가, 너와의 추억만 버리든가 둘 중 하나다. 난 아직도 둘 다 버리지 못해 달리고만 있다. 길은 보이는데 그 길 위를 달리지 못한다. 보이지 않는 족쇄가 내 발목을 묶고 있는 것처럼 늘 제자리다. 숨이 찬다. 금방이라도 폐가 터질 듯, 기도가 찢어질 듯 내뱉는 숨이 거칠다.

그래도 네가 내 손을 잡아주길 간절히 바라면서 또 발을 뻗어본다. 내가 할 수 있는 일이 이런 것밖에 없다는 것을 알고 있기에. 멈칫. 굳은 발걸음이 떨어지지 않는다. 너와 처음 마주쳤던 그 거리다. 아무것도 없던, 아무것도 없을 수밖에 없는 그 거리. 그런데도 발걸음이 멈춰 선다. 그때 그 고양이로 추정되는

아이가 주변을 맴돌고 있다. 아직도 이 아이가 있을 줄은 몰랐는데, 아니 그 아이의 자식일지도 모른다. 다 비슷비슷하게 생겼으니 그 고양이와 연관이 없을 수도 있는데 그쪽으로는 생각

지도 않는다. 직감, 이라고 말하고 그냥 내가 믿고 싶은 대로 믿는다. 고양이의 발걸음에 맞춰 걷는다. 서서히, 조금씩 다가간다. 고양이도 도망치지 않는다. 내가 다가오는 것을 기다리고 있다. 고양이 앞에 멈춰 서서 쪼그려 앉는다. 아이는 나를 물끄러미 올려다보더니 갸르릉 거리며 내 손에 제 머리를 가져다 댄다. 왠지 모를 미소가 피어오른다. 얼마 만에 편히 지어보는 미소인지 모른다. 너와의 추억이 있는 장소라 편히 웃을 수 있는 걸까. 그런 거라고 또 제멋대로 믿는다.

"너와의 추억이 모두 그대로인데, 너만 없네."

그대로다. 이 거리도, 이 골목도, 고양이도, 흰 눈이 쌓인 바닥도 모두 그대로인데 너만 없다. 괜히 쓸쓸해져 시선을 허공으로 흐트러뜨린다. 그런 나를 눈치챈 건지 고양이가 꼬리를

바짝 세워 내 턱을 긁는다. 부드러운 느낌에 나도 모르게 웃음이 새어 나온다. 여전히 여기에는 담배꽁초가 많다. 숨을 깊게 들이마시면 한기 속에는 담배 향이 섞여 있다.

골목 벽 페인트가 다 벗겨진 벽돌도, 담벼락 사이 삐져나온 나뭇가지도 모두 추억 속 그대로다. 아니, 추억보다는 조금 더 바랜 모습이다. 그래도 내 눈에는 모두 같아 보인다. 그러길 바라는 걸지도 모른다.

"진짜 한겨울이다, 그렇지?"

뒤를 돌아본다. 그렇지 않다는 것을 알면서도 뒤를 돌아보면 네가 웃으며 내 이름을 불러줄 것만 같다. 내 이름이 아니라는 것도, 네 목소리가 아니라는 것을 알면서도 겨울이라는 명칭이 들릴 때면 뒤를 돌아보게 된다. 그리고 또 머뭇거린다. 너에게서 벗어나는 걸 머뭇거린다. 고양이는 나를 바라보다 몸을 뗀다. 한 걸음 갔다가 나를 돌아보고 또 한 걸음 갔다가 나를 돌아본다. 왠지 따라오라는 뜻인 것만 같다. 그래서 나는 또 제멋대로 고양이를 따라간다. 고양이의 발걸음에 맞춰 내 보폭을 줄인다. 살랑살랑 흔들리는 꼬리가 귀엽게 느껴졌다. 왠지 네가 생각나는 느낌이기도 하다. 몰래 웃음을 흘리다 정색하기를 반복한다. 아, 한심하다. 얼마나 걸었을까. 조금은 지친 것 같다. 맞지 않는 아기 신발을 신고 아장아장 걷고 있는 기분. 불편하다. 그렇다고 이제 와 성큼 앞서 나가기에는 고양이가 놀랄 것 같고, 포기하기도 싫다. 시간 낭비라는 것을 느끼고 있으면서도 지금까지 한 게 아깝다고 느껴진다. 그래서 무작정 따른다. 얼마나 더 걸어야 할지 짐작할 수 없지만 그래도 해본다. 손이 꽁꽁 얼어 감각도 느껴지지 않을 때쯤, 고양이가 울음소리를 낸다. 홀린 듯 시선을 올린다.

웬 폐가 하나가 있다. 얼핏 봐도 삼 년은 방치되었을 법한 폐가다. 무서운데 본능은 들어가라고 한다. 침을 꼴깍 삼킨 채 발을 뻗는다. 고양이는 어디 갔는지 보이지 않는다. 부식돼 잘 열리지 않는 문을 힘을 주어 연다. 문을 열자 끼이익하는 소리와 함께 먼지가 날린다. 삐걱거리는 바닥이 금방이라도 무너져 내릴 것만 같다. 외줄 타기를 하는 기분이다. 심호흡하고서 발을 딛는다. 플래시를 켜 안을 살핀다. 제대로 된 가구는 없다. 요즘도 이런 곳이 있다는 게 믿기지 않는다. 고양이는 왜 나를 이곳으로 이끌었을까. 왠지 그게 너와 연관돼 있을 것만 같다는 생각이 끊이지 않는다. 파삭. 낯선 이물감. 그 소리에 온몸이 경직된다. 굳은 몸을 애써 돌려 발로 시선을 옮긴다. 종이 같다. 옅은 안도의 한숨을 내쉬고는 몸을 숙여 종이를 집어 든다. 오래된 것 같은 종이다. 이 또한 집과 같이 방치된 것 같다. 후, 하고 숨을 불자 그 위에 묻어 있던 먼지가 공중으로 휘날린다. 기침이 샌다. 콜록대며 기침하자 눈물이 핑 돈다. 손을 휘휘 저어 먼지를 날리고는 휴대폰으로 종이를 비춘다. 종이에는 뭔지 모를 글자들이 적혀 있다. 아무래도 번진 것 같다. 이외에 종이는 많이 널브러져 있다. 바닥에 있는 종이들을 하나나 주워 근처 책상 위에 올려둔다. 이물감에 콜록며 손을 휘젓는다. 눈물을 머금어 흐릿한 눈가를 닦아내고 초점을 맞춘다. 책상에 반듯하게 펴 놓자 꽤 괜찮은 모양새다. 휴대전화를 좀 더 가까이하며 한 글자씩 읽어내린다. 왠지 익숙한 글씨체다. 왜 이럴 때마저 네가 생각나는지는 알지 못한다.

2019년 1월 1일

다시 그날로 돌아왔다. 벌써 17번째다. 또 너를 살리지 못했다
는 죄책감. 숨이 턱 막혀오는 것만 같다. 밖에는 하얀 눈이 내
린다. 늘 내린다. 저 창밖에서 네가 뛰놀고 있을 것만 같다. 마
지막엔 늘 이 모양이다. 아니, 처음인가. … 이젠 뭐가 뭔지 모
르겠다.

2019년 2월 26일

너를 만났다. 그 골목에서 너를 기다리고 있으면 너는 꼭 나를 발견해서 인사했다. 아니, 조금 달랐던 것 같기도 하고. 내가 고양이를 쓰다듬고 있어야지만 인사했던가. 이제는 기억도 가물가물하다. 아무튼 너와 인사했으니 그걸로 된 건가. 그러면 첫 번째 목표는 달성한 거니까.

2019년 3월 2일

새 학기라는 명목으로 너와 만났다. 너는 참 기억 속 그대로라고 해야 할까. 변하지 않은 것 같으면서도 변한 것 같다. 입꼬리가 이전보다는 조금 굳었나? 머리카락은 조금 더 긴 것 같기도 하다. 17번이나 이 짓을 반복하면서 느낀 거지만 매번 네가 같은 사람은 아니라는 거다. 언제나 너는 조금씩 다른 모습이다. 그래서 내가 돌아온다는 느낌보다는 다시 태어나는 느낌을 받는 것 같다. 그리고 나는 매번 한겨울, 너라는 사람에게 반한다.

2019년 4월 8일

네가 내 애칭을 불러주었다. 준. 오랜만에 듣는 기분이다. 오랜만이 맞나? 전에도 말했다시피 이제는 정말 모든 게 가물가물하다. 가끔은 너를 습관처럼 사랑한다는 느낌을 받기도 하지만 세차게 뛰고 있는 가슴은 내가 진심이라는 걸 증명하는 듯하다. 애칭을 불러주었다는 건

우리가 꽤 가까워졌다는 의미겠지. 지난번에도 이맘때쯤이었나. 더 빨랐나. 느렸나. 기억이 흐릿하다.

2019년 5월 11일

다 포기하고 싶다. 너와 가까워질 때마다 느끼는 거다. 하지만 너를 포기하면 네가 죽으니까, 어쩔 수 없다. 네가 웃는 얼굴만 보고 싶다. 그렇게 보면 너는 참 네 이름을 닮은 것 같다. 한겨울. 그런데 또 다르다. 너를 보고 있으면 한겨울의 한파가 생각 나면서도 나를 보며 미소 지어줄 때마다 그 속에서 피어난 어여쁜 꽃 한 송이 같다. 그리고 보니 네가 어떤 꽃을 좋아했더라. 다음에는 사다 줘야겠다.

2019년 5월 31일

아마 이맘때쯤 네 마음이 무르익었을 거다. 이제 고백하고 사귀면 되는데. 그렇게 너와 한 발자국 더 가까워지고 네 신뢰를 얻어 너를 구하면 되는데. 이 길을 걷기 시작하면 다시는 벗어날 수 없다는 압박감이 자꾸만 나를 짓누른다. 그래도 해야지. 나만이 할 수 있는 일이니까. 너를 위한 일이니까. 하자. 해야 해. 할 거야.

2019년 7월 10일

너와의 첫 입맞춤. 여전히 설렌다. 그리고 이제부터가 시작이라는 것에 당장이라도 포기하고 싶다. 이번이 마지막이었으면 좋겠다. 정말 내가 지난 생을 버리면서까지 너를 위한 정보를 수집했다. 그러니까 제발 이번이 마지막이기를 바란다. 18번째 가오면 정말 미쳐버릴지도 모르니까.

2019년 8월 1일

비가 내린다. 오늘이다. 네가 죽는 날. 몇 시였더라, 저번 생을 날려서인지 모든 게 희미하다. 그래도 때는 맞춘 것 같다. 추적추적 내리는 비가 참으로 사람 죽기 좋은 날씨이긴 하다. 네가 무사하니 됐다.

2019년 8월 14일

온몸에서 보내는 경고를 무시하지 않은 덕에 너를 구했다. 연쇄 살인범이 출몰하는 날이 오늘이었던 걸 깜박 잊었다. 그래도 네가 무사하니 됐다. 그거면 됐다.

2019년 10월 17일

오늘은 네 집에 강도가 든 날이다. 너와 내가 100일일 때 네가 죽었으니 이날만큼은 기억한다. 네가 조금 경계하기는 했지만, 다행히 우리 집에 왔다. 옆에서 잘 자는 네 모습을 보면 안심이 된다. 앞으로도 내가 너를 지킬 수 있을까. 아니, 마음 약한 소리 하면 안 된다. 지켜야 해. 나밖에 없으니까.

이상하다는 걸 눈치챌 수밖에 없었다. 반복돼서 나오는 17이라는 숫자와 계속돼서 언급되는 나의 죽음. 말도 안 되지만 네가 시간을 되돌아왔다는 걸 보여주는 것만 같아서 온몸에 소름이 돋는다. 근데 또 정황상 네가 했던 모든 일들이 딱딱 들어맞아서, 그게 더 소름 끼치게 만든다. 첫 만남부터 너는 이상했다. 누구인지 알 수 없는 그 기묘한 분위기가 어쩐지 나를 끌리게도 했다. 사라지는 것마저 바람처럼 사라진 너, 그런 너에 대한 단서가 있을 것만 같다. 마지막 종이다. 네가 남겨놓은 마지막 페이지. 이 종이를 보면 돌이킬 수 없을 것만 같은 기분이 든다. 그런데도 봐야 할 것만 같다. 여기에 해답이 적혀 있을 것 같다. 그래서 빛을 비춘다. 한 글자씩 천천히 읽어내린다. 네가 사라지기 전날 밤이다.

2020년 2월 25일

드디어 끝이다. 이게 마지막이다. 내일 너는 죽는다. 그러니 네가 죽는 장소에 내가 대신 가서 죽으면 된다. 이 죽음만큼은 피할 수 없었다. 5번의 모든 시도가 다 허튼 것이었다. 지난 생에서 조사해보니 세상에는 인과관계가 있어서 예정돼있는 일을 피하려면 그만한 대가가 필요하다고 했다. 네가 죽음을 피하려면 그만한 대가가 필요할 테고, 지난 3번의 시도가 모두 실패했다. 마지막 남은 건 사람의 목숨이다. 남의 목숨을 걸 수는 없으니 내 목숨으로 너를 살려보려 한다. 네가 나를 잊었으면 한다. 나 없이도 행복했으면 한다. 그러니까 미련 남게 사랑한다고는 못하겠고, 그렇다고 모질게 안녕도 못 하겠다. 그냥 네가 행복했으면 좋겠다. 그런데 이럴 줄 알았으면, 사랑한다는 말 한마디라도 더하고 올걸.

뭐라고 말을 해야 할지 모르겠다. 목에 커다란 돌덩이가 막힌 듯 말이 나오지 않는다. 뻐끔거리는 입에는 먼지만 들어온다. 정말 네가 나를 위해 죽은 걸까. 너는 17번의 회귀 끝에 나를 살린 걸까. 너는 무엇을 위해 회귀했을까. 나를 살리기 위해? 아무것도 모르겠다. 머릿속에 누군가 낙서를 박박 그려놓은 것 같다. 온통 새까만 머리가 아려온다. 비틀거리며 머리를 짚는다. 손을 잘못 디뎌 살갗에 생채기가 난다. 쓰라리다. 핏물이 새는 듯하다. 아, 이대로 두면 파상풍이 들지도 모른다. 목숨을 소중히 여겨야 하는데, 그래야 하는데….

그게 참, 사람 마음대로 되지가 않는다.

***

네 종이를 모두 들고 집으로 돌아온다. 하루가 길게 느껴진다.
내가 오늘 무슨 일을 겪은 거지, 천천히 머릿속으로 재조합한
다. 인간의 상식선을 벗어난 일이다. 네가 그냥 미쳤다고 생각
하면 되는 일이다. 그런데 너를 자꾸만 믿고 싶다. 네가 보여준
모든 것들이 거짓이 아니었기에 이것마저 거짓이 아니라 믿는
다. 거짓이 아니라고 나 혼자 믿고 싶은 걸지도 모르지만, 그래
도 종이에서 느껴진 네 마음은 진심이었다. 창문을 열고 베란다
로 나간다. 차가운 새벽 공기가 나를 스치고 지나간다. 살짝 내
리감은 눈을 뜬다. 기다란 속눈썹 끝에는 이슬이 달린 듯 무겁
다. 깜박, 깜박. 내 눈이 스위치인 마냥 도시의 불빛들이 꺼졌다
켜지기를 반복하는 것 같다. 피식, 어이없는 웃음을 흘리며 난
간에 기댄다. 팔을 걸치고 새벽 공기를 느낀다. 허탈하다. 네가
정말 죽은 거라면 나는 지금까지 무엇을 위해 너를 기다리고 원
망하고 미워했을까. 하하. 비소가 흐른다. 눈물이 난다. 내가 뭘
해야 할까. 난 이제 뭘 해야 하는 걸까. 무기력함이 극치를 달
린다. 우울증이 목 끝까지 차올라 내뱉지도 못한다. 그럴 힘마
저 잠식당한다. 너라면 뭘 바랄까. 내가 뭘 하기를 바랄까. 너를
잊고 잘 먹고 잘살기를 바랄까? 그거면 되는 걸까? 그런데 그러
면, 그러면….
"그러면 네가 너무 불쌍하잖아…."
나를 위해 살다 나를 위해 죽었는데, 그걸 내가 기억해주지 못

한다고 생각하면 가슴이 아파 견딜 수가 없다. 너를 마음속에 묻고 갈 수가 없다. 너는 이미 내 아픈 상처고 흉터로 남지 않을 흔적이다. 아직도 혈흔이 뚝뚝 흘러내리고 있는 아물지 않은 상처다. 하지만 그런 것보다도 네가 힘들지 않았기를 바란다. 내가 너를 기다리고 미워하느라 힘들었던 지난 삼 년보다 나와 함께했던 네 일 년이 힘들지 않았으면 한다. 너도 행복했으면 한다. 그거면 될 것 같다. 그거면 내가 너를 미워한 삼 년이 괜찮아질 것 같고, 아직 혈흔이 흘러내리고 있는 상처에 약을 바를 수 있을 것 같다. 너를 잊지는 못할 테지만 너와의 추억이 아픈 색은 아닐 것이며 나에 대한 네 마음이 가짜였는지 진짜였는지 고민하며 허송세월하지 않아도 될 것이다. 그거면 충분하다. 그걸로 이 가치는 충분하다.

"나도 네가 행복했으면 해."

겨울바람에 너를 보낸다. 내 마음을 담은 말과 함께 너를 보낸다. 사실 내게 필요한 건 아주 작은 계기였을지도 모른다. 너를 미워하는 마음을 보낼, 앞으로도 너를 사랑해도 된다는 작은 확신을 줄 계기. 그 계기를 얻어서 그런지 마음이 홀가분하다. 적어도 잡념들을 쳐낼 수 있다. 이제는 너와의 추억을 예쁘게 포장해 가슴 한편에 담아둘 수 있다. 보고 싶을 때 언제든 꺼내 볼 수 있도록. 잘 살 수 있다. 너 없이 완벽한 행복을 느낄 수 있으리라 자신할 수는 없지만 그래도 잘 살 수는 있다. 지금까지 어떻게든 버텨왔으니까 이제는 거기에 조금씩 네 의지를 더 하면 된다. 네 몫까지 살 것이다. 이건 내 목숨이 아닌

네 목숨값이다. 허투루 쓰면 안 된다. 이제라도 바

로잡으면 된다. 한순간에 괜찮아질 수는 없겠지만 천천히 아물

때를 기다릴 것이다. 다시 한번 네 이름을 불러본다. 바람에 네

이름을 담는다.

"백서준."

사랑해.

***

To. 한겨울

안녕? 이렇게 편지를 쓰는 건 처음이라 조금 낯선 것 같기도 하

네. 솔직히 말하자면 이 편지는 발견되지 않았으면 좋겠어. 그래

도 발견됐다면 내가 네 곁에 없다는 뜻이겠지?

아, 그런

데 그것도 싫을 것 같다. 나 죽었나? 너는 그걸 알려나. 알아도

많이 슬퍼하지 않았으면 좋겠다. 아, 그런데 사실은 좀 슬퍼해 줬

으면 좋겠어. 늘 내가 네 마지막을 보고 슬퍼했으니까, 이번에는

좀 반대였으면 좋겠네. 둘이 함께 만수무강하면 좋겠지만 어려울

테니까. 있지 경아. 나 사실 이번에 17번째 회귀했어. 매번 회귀

할 때마다 너한테 편지를 썼는데, 그것들은 모두 너에게 보여주지

못하고 끝났어. 그러니 어쩌면 이것도 영원히 너에게 닿지 못할

편지일지도 몰라. 그래도 언젠가부터 이 편지를 쓰는 게 내 일상

이 되었어. 사실 너한테 처음 고백할 때도 편지로 했었다?

아, 이번 생 말고 내가 회귀 자체를 하기 전에 말이야. 나는 왜

하필이면 내가 회귀하게 된 건지 잘 모르겠어. 왜 하필 죽는 상대

가 너였는지도. 세상에 죽는 사람은 널렸을 거고, 그 사람을 사랑하는 사람들도 널렸을 텐데 왜 하필 너고 나였는지 모르겠어. 살려줄 거고 기회를 줄 거면 함께 오랫동안 잘 먹고 잘살 수 있는 선택지를 줄 것이지 왜 한 명은 꼭 죽어야 한다는 선택지를 준 건지도 잘 모르겠어. 그냥 널 모른 척 지나칠 걸 그랬나 봐. 처음 만났던 그날부터 모른 척할 걸 그랬나 봐. 그런데 그러기엔 네가 너무 예뻤나 봐. 그래서 그랬나 봐 겨울아. 내가 너를 사랑하는 건 당연한 이치이자 섭리였고, 그래서 나는 17번의 겨울이 지난 지금도 너를 사랑하는 거지. 네가 그런 말을 한 적이 있어. 겨울은 사실 포근한 계절이라고. 흰 눈을 천지에 내려 모든 것을 감싸 안는 거라고. 나는 그게 너랑 참 잘 어울린다고 생각했어. 사람들은 네 진가를 몰라보지만, 나만큼은 알 수 있었거든. 너는 참 따스하고 착하고 포근한 사람이었어.

그래서 나는 너를 담은 겨울마저도 사랑할 수밖에 없었어. 경아. 나만의 겨울이고 싶은 겨울아. 네가 정말로 행복했으면 좋겠어. 내가 없어도 웃을 수 있고, 행복할 수 있었으면 좋겠어. 먹고 싶은 거 많았잖아. 하고 싶은 거 많았잖아. 나 없이도 다 할 수 있잖아. 너는 멋진 사람이니까, 내가 없는 것쯤은 금방 이겨낼 수 있을 거야. 나는 너를 믿어. 있잖아, 나는 세상이 참 부정적인 사람이었어. 하루하루 죽지 못해 살아갔지. 근데 너를 만나고 달라졌어. 네가 나를 구원했어. 흰 눈처럼 반짝이는 너를 보고 있자면 그 품으로 뛰어들고 싶어졌어. 그리고 나는 결국 지금 이 편지를 쓰는 순간까지도 살아있어.

이마저도 너를 위한 일이라는 것에 감사해. 나는 싫어하는 게 많았지만 네가 좋아하는 건 다 좋아했고, 웃음이 많지 않았지만 너와 있으면 언제나 웃을 수 있었어. 하늘이 겨울이라는 계절을 주었듯, 하늘이 겨울이라는 너를 주었듯, 나는 우리의 만남이 운명이라고 생각해. 너는 어떻게 생각할지 모르겠지만 말이야. 사랑해, 겨울아. 늘 말해도 부족할 거야. 단 한 번을 더 말하지 못해 늘 아쉬워할 거야. 다음에 또 만나면 그때는 만나자마자 말해줄게. 사랑한다고. *내 모든 계절을 담아 너를 사랑해.*

from. 백서준

안녕하세요. 「크리스마스이브」를 쓴 김아힌입니다. 솔직히 말하자면 제가 책의 첫 장을 장식하게 될 줄은 전혀 몰랐습니다. 그렇게 얘기를 들었을 때도 놀랐고요. 제가 글을 못 써서 독자님들과 블랙매서커즈 멤버들을 실망시키진 않을지, 정말 고민이 많았습니다. 그렇다고 해서 딱히 바꿀 생각은 없었지만, 뭐 그랬네요... 사실 지금은 안 그렇다는 듯이 말하지만 전혀 그렇지 않은 건 아니에요. 글을 확정지은 지금도 괜히 제가 이상하게 써서 독자님들이 뒤에 나오는 우리 멤버들의 쩌는 글을 보지 못하게 하는 건 아닐까... 그런 생각은 항상 하고 있습니다. 이런 걱정 말고도 좋은 일도 많았어요. 백현님께서 저한테 '네가 맨 처음에 들어가는 게 좋겠다'고 말할 때, 제 글이 독자님들 낚기에 좋다고 하더라고요.

약간 미끼가 된 것 같은 느낌. 아무튼 그런 말을 들어서 기분이 좋았어요. 제가 엄청 막 대단한 사람이 된 기분. 글 잘 쓴단 얘기 들으면 아유 아니라면서 겸손 떨지만 사실은 엄청 좋아한답니다. 많이 해주시면 매우 감사. 여기까진 정말 떠오르는 얘기들을 적은 거라 이야기가 여기 갔다 저기 갔다 하는 느낌이었어도 조금만 참고 읽어주시면 감사하겠습니다.
 사실 「크리스마스이브」의 원래 제목은 「우연을 부정하기」였습니다. 처음엔 크리스마스이브에 만나고, 또 다음 해 크리스마스이브에 똑같은 곳에서 만나는 우연을 강조할 생각이었어요. 주인공이 그게 운명이라 믿고, 우연인 걸 알면서도 부정하는 그런 얘기를 중점적으로 담아낼 계획이었는데, 글을 쓰다 보니 점점 달라지더라고요. 「우연을 부정하기」와 책 내용이 조금 안 맞는 감이 있어서 바로 고쳤습니다. 고민도 많이 했는데, 역시 깔끔한 게 짱입니다. 심플 이즈 더 베스트.

이 글이 제게는 굉장히 중요한 글이에요. 제 꿈인 작가로서의 첫 도전? 시작? 아무튼 그런 거거든요. 나중에 보면 흑역사가 되겠지만, 어쨌든 지금은 제 자랑스러운 처음으로 책으로 출판된 글이니까요. 돈을 얻으려고 하는 것도 있겠지만, 겨우 중학생인 저는 금전적인 이유보단 책을 출판하는 것 자체에 더 의의를 두고 있습니다.

드디어 글에 관해서 이야기해볼게요. 주인공은 원래 무척 소극적인 성격이었어요. 사람 많은 곳을 싫어하고, 집에만 틀어박혀 있는 걸 좋아하는 사람이었던지라, 보다 못한 주인공의 어머니께서 주인공에게 심부름을 시킨 거죠. 그것도 크리스마스이브예요. 원래는 서술에 MBTI를 넣으려 했는데, 백현님께 "너무 신세대적이다"라는 말만 들었어요. 하하, 바로 고쳤습니다. 역시 글에는 글자가 들어가야 하죠. 네. 글에서도 서술했듯이 그녀는 고양이상의 얼굴이었습니다. 주인공은 모솔인데다가 여자에는 완전 문외한이라 외모를 디테일하게 서술하는 장면도 없었는데, 대충 생각해둔 스타일은 있었습니다. 이제 포니테일과 갈색 가죽 재킷. 청치마를 입고 있고, 밑에는 롱부츠입니다. 갈색. 가죽 재킷은 다 잠그지 않고 열어놓았는데, 안에는... 모르겠습니다. 거기까진 생각을 안 해봤네요. 아무튼, 그리고 어깨에 작은 검정 가방을 메고 있습니다.

그녀는 고양이상... 이긴 하지만, 절대로 강아지상이에요. 무표정일 땐 고양이상인데, 웃을 때는 강아지상인 얼굴... 보통 다 그런가요? 어쨌든 그렇습니다. 반전 매력이 쩌는 여자라고 할 수 있겠네요.

 3번째 마지막 부분을 부가적으로 설명하자면, 원래 자신과 정반대의 모습으로 살아가는 자신에게 주인공이 의구심을 품었던 게 하루 이틀은 아니었어요. 항상 일상적으로 생각은 하고 있었는데, 생각만 하고 있었던 거죠. 그녀를 좋아하느라 그런 생각을 할 틈도 없었던 거예요. 주인공은 그녀를 진심으로 사랑했다는 말인 거죠. 음, 4번째 글에서 주인공이 자신의 그녀에 대한 마음을 의심하게 된 건 제정신이 아니라서 그렇고요. 결과적으로 주인공은 그녀를 괜히 놓친 꼴이네요.

 마지막 글은 제가 표현을 너무 마구마구 써서 조금 읽기 부담스러우실 수도 있어요. 그래도 전 항상 마지막은 문장 하나로 장식하는 타입이라 마지막. 완전. 좋으실 거예요. 아무리 그래도 완전은 아닐 거고 안 좋으실 수도 있지만, 대부분... 그렇게 느낄 거라고 예상합니다.

 새삼 제가 이런 일들을 하고 이런 글을 쓰고 있다는 게 신기하기도 하고, 믿기지 않기도 하고... 그렇네요. 아무래도 경험이 없어서 그렇겠죠? 다음 출판엔 조금 더 익숙해져서 조금 더 차분해져 있을 거예요. 그렇길 바라네요.

 제 소감문은 이걸로 끝맺겠습니다. 감사합니다!

안녕하세요! 블랙매서커즈에서 '겨울 바다'를 쓴 민지원 작가라고 합니다. 이것 참, 제가 작가라는 말로 쓰이게 되는 날이 오다니 약간 쑥스럽기도 하고 뿌듯하기도 하네요. 첫 출판이니만큼 많이 고생도 했고, 부족한 부분도 많을 텐데 이렇게 믿고 구매해주셨다니 믿기지 않을 만큼 정말 감사해요. 부디 제 글이 가끔 한 번씩 툭 하고 떠오를 수 있는 글로라도 남게 된다면 좋을 것 같아요!

먼저 제가 가장 즐거운 취미였던 것이 보람찬 직업으로 바뀌는 과정이 참 신기하고 기뻤던 것 같아요. 큰돈을 벌 수 있는 건 아니지만 소소한 만족감...? 이랄까요. 출판을 하면서 많은 의견 차이도 있었고, 힘들었던 일과 예기치 못한 사고 등등 다양한 일들이 많았지만 결국 이렇게 책을 출판해낸 걸 보면 결과적으로는 참 재밌는 추억으로 쌓일 수 있었던 것 같네요! 언젠가 저 혼자 단독으로 소설을 출판한다면 오늘날의 기억이 많은 도움이 될 거라고 확신해요. 모두에게 고마웠고, 감사했어요. 우리 프로젝트를 이끌며 노력하신 총괄, 민백현 작가님과 표지나 폰트 작업 같은 디자인 부문에서 많은 힘을 쓰신 그해 작가님, 뒤늦은 합류에도 멋진 글을 써내시고 피드백도 가장 정성 어리셨던 다준 작가님과 항상 어떤 의견이든 최선을 다해 군말 없이 따르던 김아힌 작가님, 언제나 활기차게 제 할 일을 멋지게 마무리하시는 218 작가님까지! 모두 수고하셨고, 모두에게 감사하다는 말씀을 전하고 싶어요. 물론 이외에도 특전 그림 외주를 맡아주신 잔가람님과 글의 분위기를 띄우는 1장의 인트로를 쓰신 윤현준 작가님, 2장의 인트로를 쓰신 애옹유 작가님께도 감사의 말씀을 꼭 전합니다.

제 글 '겨울 바다'는 그리운 인연들과의 이별을 담아낸 작품입니다. 할머니와 이별하고 혼자 남겨진 주인공은 보육원에서 다시 새로운 정을 들이고, 다시 여러 번 헤어지기를 반복하죠. 그 과정에서 만 18세가 지난 보육원 아이들이 갑작스럽게 세상으로 버려지는 사회적 문제도 생각해봤어요. 물론 지금은 만 22세로 늘어나게 된 추세이지만, 과거 배경으로 봐주시면... 감사할 것 같습니다. 아무튼 주인공은 많은 이별을 겪다가 다시 마지막에 새로운 만남을 겪어요. 이것은 우리의 인생에서도 끊기지 않는 물레바퀴의 순환처럼 계속 이어질 테고요! 여러분들의 인생에서 겪을 이별에 대한 상처가 금방 새 인연으로 아물 수 있기를 바라며 이 글을 썼습니다.

한편으로 제 글은 참 아쉬운 글로 남게 된 것도 같아요. 글쓰기를 귀찮다고 미루지 말고, 딱 한 번만 더 읽어보고, 딱 한 번만 더 고친다면 좋았을 텐데. 그렇지만 이런 후회도 이제는 모두 소용없으니까요. 모두가 최대한 노력한 만큼 멋진 글이 나오지 않았다고 좌절하신대도, 저는 우리 모두 노력했고, 최선을 다했으니 즐기자! 라고 생각하려고 해요. 만약 너무너무 별로였다고 해도 그냥 우리 이 일을 발판 삼아 더 멋진 작가가 되도록 노력하기로 해요. 저는 이번 출판을 계기로 정말 작가라는, 글을 쓴다는 직업에 도전해보고 싶어요. 만약 불가능한 꿈이래도 꿈꾸는 것만으로도 즐거운 일이 되도록 매일 최선을 다해볼래요.

다시 한번 저희 책, 그리고 제 글을 읽어주셔서 감사합니다.

독자님의 어느 드문 날에 갑자기 생각날 수 있는 글이 될 수 있었기를.

이 책을 구매해주신 블랙매서커즈 독자님들께

 안녕하세요 <새하얀 밤> 파트를 쓴 작가 218이라고 합니다~
 겨울연가에 새하얀 밤을 쓰면서 간단하게 힘들었던 점과 재미있었던 점, 그리고 책을 내면 어떠한지 말씀드려 볼게요.
 겨울연가의 <새하얀 밤>은 반려견이었던 제니퍼와 담이의 이야기를 요약해 책으로 담아낸 작품입니다. 어린 학생 때부터 청춘인 20대까지 긴 시간을 함께해온 제니퍼를 필요하지 않다는 심증으로 버리고, 결국 후회하는 담이의 이야기를 중점으로, 제니퍼의 시점과 담이가 느끼는 모든 감정을 사사롭다는 듯이 넘긴 인간과, 현재의 시대와 가치관을 비판하고자 만든 부분이 바로 보고 계시던 <새하얀 밤>의 중요 포인트인 것 같습니다.
 제가 아무래도 어려웠던 점은 겨울연가에 <새하얀 밤>을 쓰면서, 보편적이고 도덕적인 가치의 인간을 표현하는 것이 아닌, 이상적이지 않고 평범한 인간의 개념의 가치를 벗어난 자들의 시점으로 진행되어 조금 어려웠던 것 같습니다.
물론 동물이라는 시점에서도 조금 어려웠어요. 아니 어쩌면 조금 많이요.
 그래도 새로운 기억을 만들 수 있는 기회라는 게 참 재밌었던 것 같습니다. 아무래도 책을 만들면 새로운 기회가 많이 생기기도 해서 정말 만족스러운 결과가 제 노력에 토대로 완성됐다고 생각합니다.

솔직히 처음에 책을 만든다는 프로젝트를 들었을 때, 말도 안 된다고 생각하기도 했어요. 6명이어서 제대로 합이 맞을지도 모르겠고 어려울 거라고 생각 했었는데, 막상 책 출판이 확정 나니까 실감 나지가 않더라고요. 그래도 성공했다는 성취감과, 지금껏 고생한 모든 것들을 다시 보답받을 수 있다. 라는 생각이 가득 찼던 것 같습니다. 물론 지금도 그렇고요.

다음으론 제 예명에 대해서 설명을 드리겠습니다. 제 원래 이름과 218은 전혀 연관이 없는 숫자임에도 218을 정한 건 생일과 관련이 있어서입니다.

아 그리고 소재 다 안 겹치고 다 다른 것도 좀 신기하더라고요! 한 명은 후회고 한 명은 로맨스고 한 명은 비소설이고 한 명은 갑과 을이 표현이 된 글이어서 조금 신기했습니다.

총정리하자면, 너무 힘들고 어려운 시간과 지겨운 일상에서 번복된 일들이 어쩌면 한 사람의 장래에 희망을 줄 수 있겠다는 생각을 종종 했어요. 물론 이 책을 읽으시는 독자님들께서도 저희의 소감을 보고 얼마나 힘들었는지, 개인이 나은지 단체가 나은지를 판단하셔서 본인이 작가를 꿈꾼다면 개인 출판도 도전해볼만 하니까 언제나 응원합니다 독자님들!

마무리로 이런 부류의 글을 좋아하신다면 하상욱 작가님의 시집인 시밤을 추천해 드림으로 마무리하겠습니다. 이상 블랙매서커즈의 218 작가였습니다. 구매해주셔서 감사합니다-!

안녕하세요. <겨울연가>에서 '그해 그 겨울 그 눈사람'을 쓴 그해입니다. 즐거운 크리스마스 보내셨나요? 저는 출판 준비로 정신 없는 크리스마스를 보냈어요. 여러분께 더 좋은 책을 드리고 싶어서요. 그러니 제가 더 좋은 책을 만들기 위해 노력한 것, 노력한 것에 대한 소감, 그리고 출판에 대한 소감을 알려드리도록 하겠습니다.

우선 저는 탄탄한 기승전결이 있는 글을 쓰기 위해 노력했어요. 평소 글을 쓰는 데에 있어 마감 시간이 촉박해 대부분 기승전결을 제대로 지키지 못한 글을 써 내려갔었는데요. 그래서 이번 출판 때에는 특히 그 부분을 더 신경 썼습니다. 확실히 기승전결을 일일이 따지며 작성하려고 애쓰니 글자 수도 많아지고 내용도 풍부해지는 게 느껴지더라고요. 그런 느낌이 좋아서 마구 내용을 추가하다가 능력의 한계로 넣지 못한 장면이 생겼을 때는 가슴이 좀 아팠지만요. 그래도 기승전결을 챙기려 했다는 것만으로도 어느 정도는 만족 중입니다. 여러분도 기승전결이 탄탄하다는 것을 느끼셨으면 좋겠네요.

다음으로는 떡밥을 던지고 회수하는 데에 공을 많이 들였어요. 저는 그런 글을 참 좋아하거든요. 독자가 예상할 수 있는 범위에 도달했을 시에 던지는 얄팍한 떡밥 한두 개, 그리고 뒤로 갈수록 하나씩 수거해나가는 글은 제 심장을 뛰게 만듭니다. 그래서 그 떨림을 제 글로부터 여러분께 전달해드리고 싶었어요. 따라서 저는 초반에 아주머니들의 대화, 해준이와 연이의 대화로 조금씩 닥쳐

올 상황을 암시하려고 했었는데요. 혹시... 알아채셨나요? 알아채셨다면 당신은 제 데스티니, 사랑합니다.

마지막으로 캐릭터의 서사에 대해 고민을 많이 했어요. 캐릭터의 서사는 곧 캐릭터의 입체성을 나타낸다고 생각하거든요. 그리고 입체적인 캐릭터는 평면적인 캐릭터보다 더 이입하기에 쉬워서 서사가 참 중요하다고 생각합니다. 무엇보다 제가 여러 이야기를 담고 있는 캐릭터를 좋아합니다. 그렇기에 해준이와 연, 강민이의 이야기를 풀어가는 과정이 정말 필요했어요. 해준이와 연은 부모님을 잃은 아픈 과거가, 그리고 강민이는 그런 그들의 부모님을 죽인 아버지를 위해 또 해준이와 연을 죽여야 하는 미래가 있죠. 세 인물 간의 팽팽한 대립과 갈등은 이야기를 한층 고조시키는 데에 크게 이바지합니다. 저는 특히 해준이라는 인물이 주요 인물이라고 생각했어요. 연과 강민이 대립하는 과정은 1차원적입니다. 미워해야 할 이유가 있으니 미워하는 관계죠. 하지만 해준이는 다릅니다. 강민을 의심하고 경계하는 동시에 동경하고 있었습니다. 하지만 의지하고 믿어야 할 연에게는 시간이 지날수록 쌀쌀맞은 태도를 보여주었죠. 캐릭터의 이중성으로 캐릭터의 서사가 쌓이면서 글이 보다 더 풍부해진 것 같아 맘에 들었습니다.

전체적으로 출판을 하면서 느낀 점을 나열해보자면 기대, 후회, 희망, 뿌듯. 이 네 가지로 표현할 수 있을 듯합니다. 처음에는 마냥 기대되었습니다. 질의응답에서 언급이 될 텐데 저는 인생에 있어서 한 번쯤은 책을 내보는 게 소원이었거든요. 그래서 처음에는 쉽게 보고 노력만 하면 될 줄 알았습니다. 출판 경험이 없던 완전히 초보자였으니 말입니다. 하지만 그 기대는 점차 후회로 변질하여 갔습니다. 마냥 기대만 했던 나 자신이 한심해 보였던 거죠. 생각보다 힘들었던 겁니다. 그 정도 힘듦도 생각 못 한 자신이 지금 보니 더 바보 같네요. 하지만 그런 힘듦도 멤버와 함께 으쌰으쌰하니 이겨낼 만 했습니다. 희망을 찾은 거죠. 그렇게 희망을 좇아 여기까지 와 보니 어느새 출판을 목전에 두고 있는 제가 보였습니다. 아주 뿌듯했어요. 내 인생에 있어서 그래도 어느 정도는 나이를 먹고 할 줄 알았던 출판을 꽤 어린 나이에 했으니까요. 이 또한 좋은 경험이었다, 라고 좋게 생각할 수 있는 추억이 또 하나 만들어진 것 같아 기쁘기도 했습니다.

저는 이번 기회로 독자의 스펙트럼이 넓어진다는 게 얼마나 큰 어려움을 주는지 알게 되었습니다. 그동안은 저 혼자 보거나 다른 몇 명에게 보여줄 그런 글들만 써오다가 갑자기 불특정 다수의 사람에게 보일 글을 쓴다는 게 여간 힘든 게 아니더라고요. 앞으로는 더욱 독자의 스펙트럼을 넓히며 글의 스펙트럼을 넓힐 수 있는 작가가 될 수 있게 마음을 먹었습니다. 여러분께 이 책의 소감을 여쭤본다면 어떤 답이 나올까요? 저는 그것도 궁금하네요. 저처럼 느낀 점 하나는 나올 수 있는 책이 되길 바라며 소감문을 마칩니다.

안녕하세요, <너를 사랑하지 않는다>를 작성한 강다준이라고 합니다. 소감이라, 음. 사실 후에 나올 Q&A에서 다 말해서 딱히 할 건 없는데 말이죠. 그래도 일단 말씀드려 보자면 재밌는 경험이었다고 생각해요. 쓰고 싶고, 보고 싶었던 내용이라 글을 쓰는 건 그다지 힘들지 않았고 다른 분들 작품도 재미있어 피드백하는 맛이 있었거든요. 10대가 가기 전에 좋은 경험 한번 하고 갔다고 생각합니다!

이번에는 이야기 내에서 잘 풀어지지 않은 서준이라는 인물에 대해 말씀드려 보고 싶네요. 작 중에 자세히 나오지는 않았지만 서준이는 17번의 회귀 동안 많이 좌절하고 포기하고 그랬어요. 편지와 일기에 나와 있듯이요. 만약 여러분께서는 끝나지 않는 회귀에 갇혀 몇 번이고 사랑하는 연인의 죽음을 지켜봐야 한다면 어떠실 거서 같나요? 미칠 것 같다는 표현은 정말 서준이에게 쓰는 표현일 거예요. 서준이는 겨울이를 사랑했지만 그만큼 원망하기도 했어요. 한마디로 애증 같은 관계인 거죠. 하지만 겨울이에게는 아무런 잘못이 없었고, 서준이도 그걸 알고 있었기에 결국은 미워하기를 포기하며 사랑할 수밖에 없었던 거예요.

17번째 회귀에서 서준이는 반 포기 상태입니다. 정확히 말하자면 지쳤다고 할까요? 서준이 회귀하는 시점은 겨울이 죽은 시점부터 시작됩니다. 서준은 몇 번이고 겨울의 죽음을 막았지만 마지막, 17번째 회귀 때 서준이 사라지는 시점만큼은 절대로 막지 못합니다. 정해진 순리라고나 해야 할까요. 한마디로 인과관계입니다. 하나가 꼬이면 다른 하나가 꼬이듯 이 순간에 죽는 사람은 정해져 있기에 겨울이 살려면 또 다른 한 명이 죽어야 한다는 이야기죠. 작 중에서 약간의 언급이 되었는데 과연 눈치채셨을까요? 그래서 작 중 다른 이들이 죽을 수밖에 없는 순간에서는 꼭 다른 희생자들이 있습니다. 딱 하나, 강도만 빼고 말이에요.

그리고 서준이는 이 사실을 16번째 회귀 때 알게 됩니다. 아무리 해도 겨울이 죽는 것을 막을 수 없으니 한 번의 생을 포기하고 그 사실들을 조사하는 데 쓴 거예요. 작 중에 몇 번 언급되었답니다.

겨울의 감정선이 중요한 이야기이니만큼 서준이라는 인물에 대한 이해도도 중요한 이야기입니다. 서준에게 있어 겨울은 어떤 사람이었으며, 서준이 겨울에게 품고 있는 감정의 깊이를 작 중에서는 알 수는 없지만 대신 죽을 수밖에 없었던 이유. 서준에게 놓인 선택지는 단 하나였기 때문에 그렇습니다. 서준이 겨울을 사랑했지만, 사실 제 목숨을 바칠 정도로 사랑했는지는 아무도 모르는 노릇이죠. 무릇 사람이 말하는 건 거짓이 섞인 법이니까요. 실제로 서준의 일기장 속에는 본인이 겨울을 진심으로 사랑하는 것인지, 아니면 그저 습관처럼 겨울에게 끌리는 것인지 분간되지 않는다는 말이 있습니다. 정말, 목숨을 바쳐도 좋을 정도로 사랑했더라면 그런 의문은 들지 않을 수 있었겠죠. 물론 그렇다고 하여 서준이 겨울을 사랑하는 것마저 거짓이라는 건 아닙니다.

서준이 겨울을 대신하여 죽지 않는 한 몇 번이고 반복되는 이 고리를 끊어낼 길은 모르기에 서준은 결국 본인이 죽는 길을 선택한 것입니다. 이쯤 되면 겨우 1년밖에 사귀지 않았던 서준이 겨울을 대신해 죽는 것에 대한 개연성의 의문이 풀리실 수 있을까요? 물론 실제로 사귄 건 17년이겠지만 말이죠, 하하.

일기 마지막에 서준은 '그런데 이럴 줄 알았으면, 사랑한다는 말 한마디라도 더하고 올걸.'이라는 말을 합니다. 사실 서준이 겨울을 대신해 죽는 건 이번이 처음이기 때문이죠. 죽기 직전에는 살면서 가장 후회되는 일이 떠오른다고도 하죠. 서준에게 있어서 삶의 가장 큰 후회는 제 모든 걸 바치는 사람에게, 저가 세상에서 가장 사랑하는, 유일하게 사랑하는 사람에게 사랑해라는 말을 더 해주지 못한 게 한이 되었던 거예요. 사실 서준이 마지막에 적었어야 하는 말은 '행복 해줘.'가 아닌 '사랑해.'여야 하지 않았나 싶습니다.

쓰고 싶었던 글, 보고 싶었던 글이기에 더 애정을 갖고 제 글을 쓸 수 있었던 것 같아요. 아마 대타임에도 시간만 따지면 제가 가장 먼저 글을 완성 시키지 않았나 싶습니다. 하하하. 6명 중 아무도 스토리가 겹치지 않았다는 점도 꽤 흥미롭다고 생각합니다. 정말 모두가 전혀 다른 주제를 가지고 글을 낸 것이 '겨울연가'를 더 풍성하게 해주었던 것 같습니다. 다들 감정선을 특히 중요하게 다뤄주신 것 같아 더 깊이 있는 글이 나온 것 같아 더 좋았어요. 다음에도 작가님들의 작품을 다시 접할 기회가 왔으면 좋겠습니다. 모두 수고 많으셨어요.

안녕하세요. 겨울연가의 디렉터로 참가하게 된 민백현입니다. 중간중간 인터뷰에 제 이름이 등장하기도 했지만, 그래도 짧게 제 이야기를 풀어볼까 합니다. 겨울연가의 원고를 편집하면서 많이 고민했던 부분들도 있고, 어떻게 해야 더 아날로그 감성이나 겨울 느낌을 강조시킬 수 있을지 많이 고민했습니다. 첫 머리말을 넣을 때나 책 뒤편의 요약 글을 적을 때, 글을 드문드문 수정할 때, 굿즈 선발을 할 때 등등... 구매자분들의 마음에 들기 위해 노력하느라 꽤 많이 고생했었죠. 하지만 그런데도 불구하고 이 책이 모든 구매자분의 마음에 들 수는 없겠지만, 겨울에 가끔 생각나는 그런 상자 속의 남겨진 추억 같은 책이 되었으면 좋겠습니다.

다음에는 디렉터가 아닌 작가로 뵙겠습니다.
감사합니다.

12월 25일 월요일

메리 크리스마스